Philo-textes
Commentaire

Collection dirigée par Jean-Pierre Zarader

Éthique à Nicomaque

Livres VIII et IX [L'amitié]

ARISTOTE

Traduction nouvelle et commentaire

Cyrille Bégorre-Bret

ellipses

Dans la même collection

Aristote, *De l'âme*, III, 3, par R. Lefebvre ○ *Éthique à Nicomaque*, Livre V (1-10), par J. Cachia ○ *Éthique à Nicomaque*, Livres VIII et IX, par C. Bégorre-Bret ○ *Métaphysique*, L 7, par R. Lefebvre ○ *Métaphysique*, Livre IV, par J. Cachia • **Bergson**, *La Pensée et le Mouvant*, par P. Rodrigo ○ *Le Rire*, par A. Pérès • **Descartes**, *Les Passions de l'âme* (1ʳᵉ partie), par D. Kolesnik-Antoine et Ph. Drieux • **Diderot**, *Lettre sur les aveugles*, par E. Martin-Haag • **Feuerbach**, *L'Essence du christianisme* (Introduction, chap. 2), par Ph. Sabot • **Hegel**, *Leçons d'esthétique, ologie de l'esprit, B, IV, A*, par O. Tinland ○ *Principes de la philosophie du droit*, §§ 341-360, par C. Boulard • **Hobbes**, *De corpore, IV, 25, §§ 1-9*, par A. Milanèse • **Hume**, *Traité de la nature humaine*, II, III, 1, par A. Auchatraire • **Kant**, *Anthropologie d'un point de vue pragmatique*, par A. Makowiak ○ *Critique de la raison pratique, Les principes*, par P. Billouet ○ *Fondements de la métaphysique des mœurs*, Section I, par I. Pariente-Butterlin • **Kierkegaard**, *Post-scriptum aux Miettes philosophiques*, par E. Martin-Haag • **Locke**, *Essai philosophique concernant l'entendement humain*, Livre IV, chap. XIX, par P. Taranto • **Machiavel**, *Le Prince*, chap. XII à XIV, par H. Guineret • **Marx**, *L'Introduction à la Critique de la philosophie du droit de Hegel*, par E. Kouvélakis ○ *Critique du droit hégélien de l'État*, par F. Guery • **Merleau-Ponty**, *La prose du monde* (extrait du chap. V), par R. Bonan ○ *La Structure du comportement*, chap. III, 3, par E. Bimbenet • **Nietzsche**, *Ainsi parla Zarathoustra*, 9 chapitres du Livre II, par F. Guery ○ *Choses humaines, trop humaines, §§ 145-156*, par O. Ponton • **Platon**, *Euthyphron*, par A. Complido ○ *Hippias Majeur*, par M.F. Hazebroucq ○ *Ménon*, par G. Kévorkian ○ *Philèbe, [31b-44a]*, par A. de La Taille • **Plotin**, *Ennéade, III, 7 [45]*, par A. Pigler • **Rawls**, *Théorie de la justice*, (1ʳᵉ partie), par E. Picavet • **Rousseau**, *Discours sur l'origine et les fondements de l'inégalité parmi les hommes*, par G. Lepan ○ *Émile*, par R. Dany ○ *Émile ou de l'éducation*, Livre IV, par F. Worms • **Sartre**, *Critique de la raison dialectique*, tome I, livre II, par H. Vautrelle ○ *L'existentialisme est un humanisme*, par A. Tomes • **Schelling**, *Idées pour une philosophie de la Nature*, par M. Élie • **Schopenhauer**, *Le Monde comme volonté et comme représentation*, Livres I et II, par V. Stanek • **Spinoza**, *Éthique, Appendice à la Première Partie*, par P. Sévérac • **Whitehead**, *Procès et Réalité*, par M. Élie • **Wittgenstein**, *Les investigations philosophiques*, par D. Perrin

ISBN 9782340-004160
©Ellipses Édition Marketing S.A., 2015
32, rue Bargue 75740 Paris cedex 15

www.editions-ellipses.fr

Table des matières

Avant-propos

L'étude qu'Aristote consacre à l'amitié dans l'*Éthique à Nicomaque* est surprenante. Alors que l'on s'attend à la description élogieuse d'une inclination tempérée et touchante, on est constamment emporté vers des réflexions sur le plaisir, le sexe, l'argent et la politique. Alors que l'on souhaite une analyse aussi simple que l'est, en apparence, l'affection entre amis, on se trouve face à des débats complexes sur le bonheur, le bien et la vertu. Enfin, alors que l'on espère trouver un exemple de « philosophie concrète » tournée vers des sentiments qui se prêtent mal, croit-on, à des considérations générales et abstraites, on est perpétuellement confronté à des démonstrations rigoureuses ainsi qu'à des concepts ontologiques fort techniques.

Mais c'est précisément parce qu'Aristote n'a pas une conception de l'amitié faite de bons sentiments et d'anecdotes édifiantes que son texte est captivant. Il met à l'épreuve de la réflexion philosophique un phénomène dont la description semblait réservée aux poètes ou aux romanciers tant il est évanescent et mystérieux. Mais Aristote use de notions sociologiques, d'instruments économiques et mathématiques ou encore de concepts juridiques et constitutionnels dans le but de résoudre les milles petits problèmes apparemment anodins et contingents de l'amitié. Faut-il chercher à avoir le plus d'amis possible ? Pour quelles raisons les amitiés se brisent-elles ? Voilà par exemple les interrogations auxquelles Aristote répond grâce à un appareil démonstratif rigoureux.

Texte surprenant et captivant mais aussi texte ardu et obscur, l'étude aristotélicienne de l'amitié requiert une présentation simple et claire. Le présent ouvrage n'a pas d'autre ambition que de répondre à cette exigence. C'est pour cette raison que je me suis efforcé de produire ici la traduction la plus directe que j'ai pu. C'est également pour ce motif que j'ai ensuite suivi pas à pas l'argumentation d'Aristote, afin de mettre en évidence sa structure démonstrative et d'en clarifier les notions fondamentales.

Ce petit ouvrage n'aurait pas pu être réalisé sans le soutien et sans les enseignements que j'ai reçus de Monsieur Francis Wolff. Qu'il trouve ici l'expression de ma reconnaissance.

C. B.-B.

Traduction

Livre VIII
(1155 a 1 - 1163 b 28[1])

Chapitre 1
(1155 a 1 - 31)

Passons maintenant à l'étude de l'amitié. L'amitié est en effet une vertu, ou du moins ne va pas sans vertu. Elle est, de plus, absolument nécessaire à la vie : sans amis, personne ne choisirait de vivre, même en possédant tous les autres biens. De fait, les riches, les chefs et les puissants ont manifestement grand besoin d'amis. Car à quoi leur servirait leur grande prospérité si la possibilité d'être bienfaisants leur était ôtée ? Or, c'est surtout envers ses amis qu'on est bienfaisant et qu'il est louable de l'être. En outre, comment pourraient-ils, sans amis, préserver et sauvegarder leur prospérité ? Car plus celle-ci est grande, plus elle est exposée.

On estime généralement que les amis constituent l'unique refuge contre la pauvreté et contre les autres infortunes. De surcroît, un ami détourne les jeunes gens de l'erreur, il prend soin des vieux en palliant le défaut d'activité qui résulte de leur faiblesse et il incite aux belles actions les hommes dans la force de l'âge. « Deux hommes marchant ensemble[2] » sont en effet plus forts pour penser et pour agir.

Par nature, un géniteur a de l'amitié pour son rejeton et un rejeton a de l'amitié pour son géniteur et ce, pas seulement chez les hommes,

---

1. La présente traduction a conservé la division traditionnelle des passages de l'*Éthique à Nicomaque* consacrés à l'amitié. Cette division en deux livres comprenant respectivement 16 et 12 chapitres n'est pas due à Aristote mais à ses éditeurs de l'Antiquité. En lisant le texte d'Aristote ainsi que sa présentation, le lecteur s'apercevra sans doute que cette division est parfois inadéquate. Elle présente néanmoins l'avantage d'offrir des points de repères couramment reçus pour s'orienter dans le texte. Les autres points de repères chiffrés renvoient à la numérotation des pages de l'édition de référence des textes d'Aristote en grec *Aristotelis Opera*, édition de l'Académie de Berlin par I. Bekker, réédition de O. Gigon, 5 volumes, Berlin, 1960-1961.

2. Homère, *Iliade*, chant X, vers 224.

mais aussi chez les oiseaux et chez la plupart des êtres vivants. Les membres d'une même espèce ont de l'amitié les uns pour les autres. C'est vrai au plus haut point de l'espèce humaine et c'est pour cette raison que nous faisons l'éloge de ceux qui sont amis des hommes. On peut également observer, durant les longs voyages, que l'homme est pour l'homme un compagnon et un ami.

Il semble même que l'amitié unifie les cités et que les législateurs s'en préoccupent plus que de la justice elle-même. La concorde est en effet quelque chose de similaire à l'amitié. Les législateurs la recherchent plus que tout et ils bannissent son ennemie, la division. Si les citoyens sont amis, ils n'ont aucunement besoin de justice, alors que s'ils sont seulement justes, ils ont, en plus, besoin d'amitié, car l'amitié se range parmi ce qui est juste.

L'amitié n'est pas seulement nécessaire, elle est en outre belle, car nous louons ceux qui aiment leurs amis et il est beau d'avoir beaucoup d'amis. Certains croient même que c'est la même chose d'être des hommes de bien et d'être des amis.

Chapitre 2
(1151 a 32 – 1156 a 5)

Les controverses sur l'amitié ne sont pourtant pas rares. Les uns soutiennent que l'amitié est une sorte de similitude et que sont amis ceux qui sont semblables. De là viennent les dictons « qui se ressemble s'assemble[1] », « le choucas va au choucas » et les autres proverbes de ce type. Les autres affirment au contraire que les personnes semblables se conduisent les unes envers les autres comme des chiffonniers[2]. Sur ces questions, ils recourent à des arguments plus généraux et plus proches des phénomènes physiques. Euripide déclare par exemple que la « terre desséchée désire la pluie » et que « l'auguste ciel saturé de pluie désire se répandre sur la terre[3] ». Héraclite dit, lui, que « les

---

1. Ce proverbe français est une transposition et non une traduction littérale du dicton grec « le semblable va au semblable » que contient le texte original.
2. Encore une fois cette expression est une adaptation plus qu'une traduction car Aristote écrit « potier » et non « chiffonnier » pour faire allusion au vers 25 de l'œuvre du poète grec Hésiode, *Les travaux et les jours* : « le potier en veut au potier ».
3. Les vers cités ici appartiennent à une œuvre d'Euripide aujourd'hui disparue.

contraires convergent », que « la plus belle harmonie naît des dissonances » et que « tout tire son origine du conflit[1] ». D'autres, au contraire, et notamment Empédocle, soutiennent que « le semblable tend vers le semblable[2] ».

Mais laissons de côté les problèmes concernant les phénomènes physiques : ils ne sont pas appropriés à la présente étude. Les caractéristiques des hommes et tout ce qui touche à leurs caractères et à leurs affects, voilà ce que nous examinerons. Par exemple, nous chercherons si l'amitié est en chaque homme ou bien si des hommes mauvais sont incapables d'avoir et d'être des amis. Nous chercherons également s'il y a une seule ou plusieurs espèces d'amitié. Certains estiment qu'il n'y en a qu'une, parce que l'amitié comporte des degrés. Mais le signe auquel ils se fient n'est pas suffisant car, entre certains êtres, il y a à la fois une différence de degré et une différence d'espèce, comme cela a déjà été indiqué auparavant.

Sur ces questions, tout deviendrait clair sans doute si l'on connaissait ce qui suscite l'amitié. En effet, on n'aime apparemment pas tout, mais seulement ce qui est aimable, autrement dit, soit ce qui est bien, soit ce qui procure du plaisir, soit ce qui est utile. Est utile ce par quoi on obtient un bien ou un plaisir. De sorte qu'on aime comme des fins seulement ce qui est bien et ce qui procure du plaisir. Mais aime-t-on ce qui est bien ou aime-t-on seulement ce qui est bien pour soi-même ? Car ce sont parfois deux choses très différentes. Et il en va de même pour ce qui procure du plaisir. Chacun paraît aimer ce qui est bien pour lui-même. Ce qui est absolument un bien est aimé de façon absolue et ce qui est un bien pour chacun est aimé par chacun. Néanmoins, chacun aime non pas ce qui est réellement un bien pour lui-même mais ce qui lui paraît être tel. Mais peu importe : posons qu'est aimable ce qui paraît tel.

Il y a ainsi trois raisons pour lesquelles on est amis, mais l'affection qu'on a pour des êtres inanimés ne porte pas le nom d'amitié, car on ne peut ni en recevoir de l'affection en retour, ni leur vouloir du bien. Il serait par exemple ridicule de vouloir du bien à un vin, sauf à vouloir

---

1. Héraclite, fragment 8 de l'édition Diels.
2. Empédocle, fragment B 90 de l'édition Diels.

qu'il se conserve pour en disposer soi-même. À un ami, au contraire, on doit souhaiter ce qui est bon pour lui.

Ceux qui souhaitent ainsi du bien à autrui sont dits bienveillants lorsqu'ils ne sont pas payés de retour. Car de la bienveillance réciproque c'est de l'amitié. Ne faut-il pas ajouter que cette bienveillance réciproque ne doit pas rester latente ? Nombreux sont en effet ceux qui sont bienveillants envers des personnes qu'ils n'ont jamais vues mais qu'ils supposent honnêtes et bienfaisantes. Même si l'on est, de l'autre côté, dans des dispositions identiques, cela ne change rien. Certes, ces personnes sont bienveillantes les unes envers les autres, mais comment pourrait-on les qualifier d'amis puisqu'elles sont mutuellement bienveillantes à l'insu les unes des autres ? Pour être amis, il faut donc être bienveillants les uns envers les autres et se vouloir ouvertement du bien pour l'une des raisons que l'on a indiquées.

Chapitre 3
(1156 a 6 - 1156 b 6)

Ces raisons diffèrent par l'espèce. En conséquence, les affections et les amitiés diffèrent elles aussi par l'espèce. Il y a donc trois espèces d'amitiés, autant qu'il y a de motifs d'amitié. Chaque espèce d'amitié est une affection réciproque et manifeste. De plus, les amis se veulent mutuellement du bien précisément en raison de ce qui les rend amis. Certains sont amis parce que cela leur est utile. Ils ne s'aiment pas les uns les autres pour ce qu'ils sont en eux-mêmes, mais parce qu'ils retirent du bien de leur fréquentation mutuelle. Il en est de même pour ceux dont l'amitié repose sur le plaisir. Ils aiment en effet les hommes d'esprit non pour ce qu'ils sont, mais simplement parce qu'ils leur plaisent. Ceux dont l'amitié repose sur l'utilité aiment pour le bien qu'ils en retirent et ceux dont l'amitié repose sur le plaisir aiment pour la délectation qu'ils y trouvent et non pas en raison de ce qu'est la personne qu'ils aiment, mais parce qu'elle leur est utile ou bien parce qu'elle leur plaît.

Ces amitiés sont des amitiés par accident. On y aime son ami non parce qu'il est ce qu'il est, mais soit parce qu'il procure un bien soit parce qu'il donne du plaisir. Ces amitiés se défont aisément car ceux qui sont amis de cette façon ne restent jamais les mêmes. Dès qu'ils ne sont plus utiles l'un à l'autre ou source de plaisir l'un pour l'autre, ils cessent d'être amis. De plus, ce qui est utile n'est pas fixe et varie selon les circonstances. Si la raison pour laquelle on est amis disparaît, l'amitié disparaît elle aussi puisqu'elle n'existait que pour cette raison.

C'est surtout entre des vieillards que se nouent de telles amitiés. À cet âge, en effet, on recherche le profit et non le plaisir. De telles amitiés se nouent également parmi les hommes mûrs et parmi les jeunes qui poursuivent leur propre avantage. Les amis de cette sorte ne vivent jamais ensemble et parfois, ils n'ont même pas de plaisir à se fréquenter. Ils n'éprouvent pas le besoin de se voir tant qu'ils ne peuvent en tirer avantage. Et leur plaisir prend fin là où cessent leurs espoirs de profit. On range notamment dans ce type d'amitié les relations entre hôtes[1].

Chez les jeunes, l'amitié repose, semble-t-il, sur le plaisir. Les jeunes vivent en effet sous l'influence de leurs affects et poursuivent avant tout le plaisir et l'instant. Mais ce qui leur plaît varie avec leur âge. C'est pourquoi ils deviennent amis et cessent de l'être aussi rapidement. Leurs amitiés changent avec leurs plaisirs et leurs plaisirs changent vite. Ils aiment également l'amour et l'amour tient, en grande partie, aux affects et au plaisir. C'est pourquoi ils aiment et cessent d'aimer rapidement, parfois même au cours d'une seule et même journée. Ces amis-là veulent passer leurs journées et leur vie ensemble. C'est ce qui, pour eux, est conforme à l'amitié.

Chapitre 4
(1156 b 6 – 1156 b 32)

Parfaite est l'amitié qui règne entre les hommes de bien qui sont semblables par leur vertu. Ils se veulent en effet du bien de la même façon les uns aux autres parce qu'ils sont bons et ils sont bons en eux-mêmes. Ceux qui veulent du bien à leurs amis pour leurs amis sont les

---

1. En Grèce ancienne, les relations entre hôtes étaient des relations traditionnelles généralement héritées unissant des familles de cités différentes. Lorsque deux familles étaient liées l'une à l'autre par des relations d'hospitalité, cela impliquait que les membres de chacune de ces familles, lors de leurs voyages, étaient reçus et logés par les membres de l'autre famille. En termes modernes et donc anachroniques, les liens d'hospitalité constituaient un réseau de correspondants à l'étranger.

amis par excellence car ils sont ainsi en eux-mêmes et non par accident. Leur amitié dure tant qu'ils sont vertueux et leur vertu est inaltérable.

Chacun des deux amis est bon absolument et bon pour son ami, car les hommes de bien sont à la fois absolument bons et utiles les uns aux autres. C'est de la même façon qu'ils suscitent le plaisir : les hommes de bien sont sources de plaisir à la fois absolument et les uns pour les autres. En effet, ce qui donne du plaisir à chacun d'entre eux, ce sont les actions qui leurs sont propres et les actions des hommes de biens sont identiques ou semblables.

Naturellement, une telle amitié est inaltérable. Elle comporte en effet toutes les caractéristiques que doivent avoir des amis. Toute amitié repose sur un certain bien ou sur le plaisir, que ce soit de façon absolue ou bien pour celui qui aime. Toute amitié repose également sur une certaine ressemblance. Mais dans cette amitié-là, les amis possèdent en eux-mêmes toutes les caractéristiques précédemment énoncées. Ce qui est bien de façon absolue et ce qui donne du plaisir de façon absolue, voilà ce qui suscite l'amitié par dessus tout. Et c'est surtout là que résident l'affection et l'amitié les plus hautes.

De telles amitiés sont vraisemblablement rares. De tels hommes sont en effet rares. De plus, du temps et des habitudes communes sont nécessaires à la naissance de telles amitiés car, selon le proverbe, « on ne peut se connaître l'un l'autre avant d'avoir consommé ensemble une certaine quantité de sel ». Il est impossible de se déclarer ou d'être amis, avant que chacun ait paru à l'autre digne d'amitié et de confiance. Ceux qui, très vite, se donnent l'un à l'autre des marques d'amitié veulent être amis mais ils ne le sont pas, sauf s'ils sont réellement dignes d'amitié et s'ils le savent. La volonté d'être amis naît rapidement, mais pas l'amitié.

Chapitre 5
(1156 b 33 – 1157 a 35)

L'amitié parfaite est parfaite à la fois du point de vue de sa durée et de tous les autres points de vue. Dans tous les domaines, chacun reçoit de l'autre les mêmes bienfaits ou des bienfaits semblables, c'est ce qui doit caractériser les amis. L'amitié qui repose sur le plaisir a des similitudes avec l'amitié parfaite. Les hommes de bien ont en effet du plaisir à se fréquenter. Il en est d'ailleurs de même pour l'amitié qui repose sur l'utilité, car les hommes de bien sont aussi utiles les uns aux autres. Dans ces situations, les amitiés sont durables surtout lorsque les amis reçoivent les uns des autres des bienfaits semblables, comme du plaisir, mais à condition que ces bienfaits aient en outre une source identique, comme entre gens d'esprit et à la différence des relations entre amant et aimé.

Ces derniers ne tirent en effet pas plaisir de la même chose. Pour l'amant, le plaisir consiste à voir l'être aimé et pour l'aimé, le plaisir tient aux attentions de son amant. Mais, une fois la jeunesse passée, cette amitié passe aussi parfois, car le premier n'a plus plaisir à voir le second et le second n'est plus l'objet des attentions du premier. Néanmoins beaucoup d'amants restent liés lorsque, à force d'habitudes communes, ils en viennent à chérir mutuellement leurs caractères parce que ceux-ci sont devenus semblables. Ceux qui, en amour, ne troquent pas du plaisir mais des services utiles sont amis à un moindre degré et le restent moins longtemps. Ceux dont l'amitié repose sur l'utilité rompent dès que leurs intérêts divergent : ils n'étaient en fait pas amis l'un de l'autre, ils étaient amis de leur propre avantage.

Une amitié reposant sur le plaisir ou sur l'utile est possible, entre des hommes vils, entre des hommes honnêtes et des hommes vils et enfin entre des hommes ni honnêtes ni vils et n'importe quels autres hommes. Mais il est évident que seuls les hommes de biens sont amis en raison de ce qu'ils sont en eux-mêmes. Les méchants n'ont pas de joie à se fréquenter à moins d'en tirer avantage. De plus seule l'amitié entre hommes de bien est dépourvue de calomnies. Les hommes de bien prêtent en effet difficilement l'oreille à qui que ce soit au sujet d'une personne sur laquelle, à force de temps, ils se sont eux-mêmes forgé un jugement. Ils se font confiance, ne commettent pas d'injustices les uns envers les autres et possèdent toutes les autres qualités requises par une véritable amitié. Dans les autres amitiés, au contraire, rien ne fait obstacle à ce que la défiance et l'injustice ne fassent leur apparition.

On donne le nom d'amis aux hommes qui se lient par souci d'utilité à la manière des cités, car c'est apparemment pour la défense de leurs intérêts que les cités passent des alliances. On donne aussi le nom d'amis à ceux qui s'apprécient pour le plaisir qu'il se donnent mutuellement, comme les enfants par exemple. En conséquence, il faut sans doute déclarer ces personnes amies à notre tour. Il nous faut donc ajouter qu'il y a plusieurs espèces d'amitié, que l'amitié au sens premier et au sens fort est celle des hommes de bien en tant qu'ils sont bons et enfin que les autres espèces d'amitié sont des amitiés parce qu'elles lui ressemblent. Toutes les personnes que nous avons mentionnées sont en effet amies en vertu d'un certain bien et d'une certaine ressemblance car, par exemple, ce qui donne du plaisir est un bien pour ceux qui recherchent le plaisir. Toutefois, ces amitiés ne coïncident pas. Ce ne sont pas les mêmes hommes qui deviennent amis pour leur profit et pour leur plaisir. Les accidents ne sont en effet pas du tout liés entre eux.

Chapitre 6
(1157 b 1 – 1157 b 24)

Puisque les différentes espèces d'amitié se distribuent de cette façon, il en résulte, d'une part, que les hommes vils seront amis pour le plaisir ou par souci d'utilité (c'est par ce trait qu'ils sont identiques les uns aux autres) et, d'autre part, que les hommes de bien seront amis en eux-mêmes parce qu'ils sont bons. Ceux-ci sont amis de façon absolue, mais ceux-là ne sont amis que par accident et parce qu'ils ressemblent aux premiers.

Dans le domaine des vertus, on qualifie de « bons » à la fois les hommes qui ont une disposition à être bons et les hommes qui sont bons en acte. Il en va de même en amitié. Certains vivent ensemble, en tirent de la joie et se comblent mutuellement de bienfaits, alors que d'autres, lorsqu'ils dorment ou s'ils habitent des lieux séparés, ne sont pas amis en acte mais sont seulement en mesure d'actualiser leur amitié. La distance n'abolit pas l'amitié de façon absolue, elle abolit seulement son actualisation. Une longue absence semble faire oublier l'amitié. De là vient le proverbe « le silence a mis fin à de nombreuses amitiés ».

Ni les vieillards ni les esprits chagrins ne sont propices à l'amitié. Leur compagnie est peu plaisante et personne ne peut passer tout son temps avec un être morose et désagréable. La nature elle-même semble fuir l'affliction et préférer ce qui donne du plaisir. Ceux qui se reçoivent les uns les autres mais ne passent pas leur vie ensemble sont bienveillants les uns envers les autres plutôt qu'amis, car rien n'est plus propre aux amis que de vivre ensemble. Ceux qui sont dans le besoin désirent de l'aide mais les hommes comblés veulent simplement passer leur temps ensemble. C'est à eux que la solitude convient le moins. Il est impossible de passer tout son temps ensemble si l'on ne se donne mutuellement ni plaisir ni joie, comme dans les associations de camarades.

Chapitre 7
(1157 b 25 – 1158 a 35)

Comme nous l'avons déjà indiqué à plusieurs reprises, l'amitié entre hommes de bien est l'amitié par excellence. Car ce qui est absolument aimable et préférable, c'est, semble-t-il, ce qui est absolument bon ou plaisant. Et ce qui a la préférence ou l'amitié d'une personne particulière, c'est seulement ce qui est bon ou plaisant pour cette personne particulière. Or, c'est pour ces raisons que l'homme de bien a de l'amitié et de la prédilection pour l'homme de bien.

Apparemment, l'affection est un affect alors que l'amitié est une disposition, car on peut également avoir de l'affection envers des êtres inanimés. Au contraire, entretenir une amitié réciproque requiert la capacité de choisir de façon délibérée et cette capacité vient d'une disposition. On veut du bien à ses amis pour eux-mêmes non pas en raison d'un affect mais en vertu d'une disposition. Et, en les aimant, on aime également le bien qui en résulte pour soi-même. Car l'homme de bien, lorsqu'il est un ami, est un bien pour celui dont il est l'ami. Donc chacun des deux amis aime ce qui est un bien pour lui-même. Il donne autant de plaisir qu'il en reçoit et veut du bien à l'autre autant que l'autre lui veut du bien. On dit que l'amitié est une égalité, surtout celle qui unit des hommes de bien car elle possède toutes ces caracté-ristiques.

Chez les esprits chagrins et chez les vieillards, il y a moins d'amitié, car ils sont d'humeur plus difficile et apprécient moins la compagnie et les conversations. Se fréquenter et converser favorisent le développement de l'amitié au plus haut point. C'est pourquoi les jeunes deviennent vite amis et pas les vieillards. Car on ne devient pas amis avec des personnes qui ne nous causent aucune joie. Même remarque pour les esprits chagrins. Les personnes de cette sorte peuvent pourtant se montrer bienveillantes les unes envers les autres. Elles se veulent mutuellement du bien et se prêtent assistance en cas de besoin. Mais elles ne sont pas du tout amies car elles ne passent pas leur vie ensemble et ne trouvent pas de la joie à se fréquenter, ce qui est au plus haut point caractéristique de l'amitié.

Dans l'amitié parfaite, il n'est pas possible d'être ami avec beaucoup de gens, de même qu'il est impossible d'avoir de l'amour en même temps pour plusieurs personnes (l'amour ressemble en effet à un excès et un affect de ce genre a naturellement un seul objet). Il est bien difficile que de nombreuses personnes plaisent vivement à la même personne en même temps. Sans doute est-ce parce qu'il est difficile que de nombreuses personnes soient des gens de bien. Il est en effet nécessaire d'acquérir une certaine expérience de son ami et d'avoir avec lui des habitudes communes, ce qui est très ardu. Si l'on recherche son utilité et son plaisir, il est possible de plaire à beaucoup de monde. Nombreuses sont en effet les personnes de ce genre et les services que l'on se rend n'exigent pas beaucoup de temps.

De ces deux dernières formes d'amitié, celle qui repose sur le plaisir ressemble davantage à de l'amitié, lorsque que les amis y trouvent le même plaisir, lorsqu'ils sont l'un pour l'autre source de joie ou ont les mêmes motifs de contentement. Telles sont les amitiés entre jeunes gens. Il y a en elle plus de liberté. L'amitié basée sur l'utile est une amitié de marchands et les hommes comblés par la vie ont besoin non pas d'amis utiles mais d'amis plaisants. Ils veulent en effet vivre en compagnie de quelques personnes, ils ne supportent pas longtemps la tristesse et personne d'ailleurs ne la supporterait continuellement, pas plus qu'on ne supporterait le Bien lui-même, s'il était pénible. C'est pourquoi ils recherchent des amis qui leur donnent du plaisir. Sans doute devraient-ils rechercher des amis qui, tout en ayant cette qualité, sont aussi des hommes de bien et qui sont de surcroît bons pour eux-mêmes. C'est de cette façon qu'ils posséderaient toutes les caractéristiques que des amis doivent avoir.

Les hommes qui ont du pouvoir ont, semble-t-il, des amis divisés en plusieurs groupes. Les uns leur sont utiles, les autres sont plaisants mais jamais ils ne sont les deux à la fois. Ils ne recherchent en effet ni des hommes plaisants capables de vertu, ni des hommes utiles pour accomplir de belles actions mais ils désirent des beaux esprits pour leur plaisir et des gens habiles pour exécuter leurs ordres. Toutes ces qualités ne se trouvent pas dans une seule et même personne. Un homme de valeur, on l'a déjà dit, est en même temps plaisant et utile. Mais un tel homme ne sera pas l'ami d'un homme possédant une plus haute position que lui, à moins que celui-ci ne soit inférieur en vertu au premier. Dans le cas contraire, celui qui possède la position la plus basse ne pourrait établir une égalité proportionnelle. Mais ces hommes n'ont pas l'habitude d'être ainsi.

Chapitre 8
(1158 b 1 - 1158 b 28)

Les amitiés que l'on a précédemment évoquées consistent en une égalité. En effet, dans ces amitiés, les amis reçoivent les uns des autres les mêmes bienfaits et ils se veulent réciproquement du bien de façon identique, ou bien ils échangent des bienfaits différents comme du plaisir contre un service utile.

Ces amitiés sont des amitiés à un moindre degré et elles durent moins, on l'a déjà dit. Elles ressemblent à la même chose et en même temps elles diffèrent de la même chose, et c'est pour cela qu'elles paraissent tout à la fois être et n'être pas des amitiés : en raison de leur ressemblance avec l'amitié conforme à la vertu, elles paraissent être des amitiés, car l'une comporte du plaisir et l'autre de l'utilité, et l'amitié conforme à la vertu possède elle aussi ces caractéristiques. Toutefois, l'amitié conforme à la vertu est, quant à elle, stable et exempte de calomnies alors que les autres amitiés sont très changeantes et diffèrent de l'amitié conforme à la vertu sur de nombreux autres points. Par conséquent, en raison de ces dissemblances avec l'amitié conforme à la vertu, les autres amitiés semblent ne pas être des amitiés.

L'amitié est d'une espèce différente lorsqu'il y a supériorité d'une personne sur l'autre. C'est par exemple le cas de l'amitié qu'un père a pour son fils, de celle qu'une personne plus âgée a pour une personne plus jeune, de celle qu'un homme a pour son épouse. C'est aussi le cas de l'amitié que tout supérieur a pour son subordonné. Et ces amitiés diffèrent également les unes des autres : l'amitié des parents envers leurs enfants n'est pas la même que celle des chefs envers ceux qu'ils commandent. L'amitié d'un père envers son fils n'est pas la même que celle d'un fils envers son père et l'amitié d'un homme envers son épouse n'est pas la même que celle d'une femme envers son époux. En effet, la vertu et la fonction de chacune de ces personnes sont différentes et les raisons pour lesquelles elles ont de l'amitié les unes pour les autres sont différentes elles aussi. Différentes sont les affections et différentes sont les amitiés. Chacune de ces personnes ne reçoit pas des bienfaits identiques de personnes différentes et ne doit pas chercher à en obtenir des bienfaits identiques. Lorsque des enfants rendent à leurs parents ce qu'ils doivent à ceux qui les ont engendrés, et que les parents rendent à leurs enfants ce qu'ils doivent à leur progéniture, l'amitié qu'ils ont les uns pour les autres sera solide et équitable.

Dans toutes ces amitiés qui comportent une relation de supériorité, l'affection doit être proportionnelle. Par exemple, celui de deux amis dont la valeur est la plus grande doit recevoir plus d'amitié qu'il n'en donne. Il en est de même pour celui dont les services sont les plus utiles et pour tous les autres. Lorsqu'une affection est conforme à la valeur, alors une certaine égalité s'instaure, ce qui est caractéristique de l'amitié.

Chapitre 9
(1158 b 29 – 1159 a 33)

L'égalité est différente, semble-t-il, dans le domaine des actions justes et dans celui de l'amitié. Dans le domaine des action justes, l'égalité au sens premier, c'est ce qui est conforme à la valeur et seulement dans un sens second ce qui est identique quantitativement. Mais, en amitié, l'égalité au sens premier, c'est ce qui est quantitativement identique et, dans un sens second, ce qui est conforme à la valeur.

Ceci est manifeste lorsque de grandes disparités de vertus, de vices, de talents ou de quoi que ce soit d'autre apparaissent entre des personnes : elles ne sont plus amies et n'y prétendent même pas. Le cas le plus évident est celui des dieux. Leur supériorité dans tous les domaines est en effet absolue. C'est également manifeste lorsqu'il s'agit de rois : ceux qui leur sont de beaucoup inférieurs ne prétendent pas à être leurs amis, pas plus que les hommes sans valeur ne prétendent à être les amis des meilleurs ou des plus sages. Dans de telles situations, il n'y a pas de définition précise du point jusque auquel on est amis : même si elle s'est beaucoup affaiblie, l'amitié peut encore subsister. Mais si la distance qui sépare les amis est très importante, comme entre un dieu et un mortel, l'amitié n'existe plus.

De là vient la difficulté suivante : un ami veut-il pour ses amis les biens les plus grands ? Veut-il par exemple que ses amis deviennent des dieux ? Dans ce cas, pourtant, ils ne seront plus des amis pour lui, ni des biens, car les amis sont des biens. Si l'on dit à juste titre que l'ami veut pour son ami des biens pour cet ami lui-même, il faudrait que cet ami reste tel qu'il est maintenant. Et il voudra les plus grands biens pour un être qui est un homme. En fait, il ne les voudra peut-être pas tous. Car chacun veut les plus grands biens plutôt pour lui-même.

La plupart des hommes, parce qu'ils aiment les honneurs, paraissent vouloir être aimés plutôt qu'aimer. C'est pourquoi ceux qui aiment les flatteurs sont nombreux. Le flatteur est en effet un ami qui est inférieur ou qui feint de l'être et qui feint d'aimer plutôt que d'être aimé. Le fait d'être aimé semble proche du fait d'être honoré et c'est ce que désire la plupart des hommes. Toutefois, ils ne recherchent pas l'honneur en soi mais par accident. La plupart des hommes se réjouissent d'être honorés par ceux qui sont au pouvoir parce que cela leur donne des espoirs. Ils pensent en effet obtenir d'eux ce dont ils ont besoin. Ils se réjouissent de ces honneurs comme d'un signe de faveur.

Ceux qui aspirent à être honorés par les hommes honnêtes et savants désirent affermir leur propre opinion sur eux-mêmes. Ils se réjouissent d'être bons en se fiant au discernement de ceux qui affirment qu'ils le sont et ils tirent de la joie du fait même d'être aimés. C'est pour cette raison qu'il est meilleur d'être aimé que d'être honoré et que l'amitié est choisie pour elle-même.

L'amitié réside davantage dans le fait d'aimer que dans celui d'être aimé. En voici un signe : les mères ont de la joie à aimer. Certaines en effet donnent leurs propres enfants en nourrice et elles les aiment en sachant qu'ils sont leurs enfants mais ne cherchent pas à en être aimées en retour lorsqu'il leur est impossible à la fois d'aimer et d'être aimées. Et cela leur paraît suffisant si elles voient leurs enfants s'épanouir. Elles les aiment même si, par ignorance, ils ne leur rendent rien de ce qui est dû à une mère.

Chapitre 10
(1159 a 34 – 1159 b 24)

Si l'amitié semble résider davantage dans le fait d'aimer et si nous louons ceux qui aiment leurs amis, alors la vertu des amis c'est d'aimer. En conséquence, les hommes entre lesquels naît une amitié conforme à la valeur seront des amis fidèles et leur amitié sera solide. C'est surtout de cette façon que des hommes inégaux peuvent également être amis car ils peuvent ainsi se rendre égaux.

L'amitié est une égalité et une ressemblance. Elle est avant tout une ressemblance fondée sur la vertu. En effet, ceux qui sont stables en eux-mêmes le restent aussi les uns avec les autres. Ils ne demandent ni ne rendent aucun service méprisable et ils s'y opposent même, pour ainsi dire. Les hommes de bien évitent en effet l'erreur et ne laissent pas leurs amis y tomber.

Les hommes pervers n'ont rien de fiable. Ils ne restent en effet jamais les mêmes. Ils sont amis peu de temps et ils se réjouissent mutuellement de leur méchanceté. Les hommes qui sont utiles et qui sont plaisants restent amis plus longtemps : ils restent amis tant qu'ils se donnent mutuellement du plaisir ou se rendent des services utiles. L'amitié qui repose sur l'utile semble naître surtout des contraires, comme par exemple l'amitié du pauvre pour le riche et celle de l'ignorant pour celui qui sait. En effet, si un homme se trouve dépourvu d'une chose qu'il désire, il l'obtient en donnant autre chose en échange. C'est à cette situation que l'on peut rattacher les cas de l'amant et de l'aimé, de ce qui est beau et de ce qui est laid. C'est pourquoi les amants paraissent parfois ridicules lorsqu'ils réclament d'être aimés de la même façon qu'ils aiment. Ceux qui sont dignes d'amitié exigent sans doute la même chose, mais ils n'ont alors rien de ridicule.

Peut-être le contraire ne désire-t-il pas son contraire en soi mais par accident. Son désir a alors pour objet le moyen terme. Le moyen terme est en effet bon, il est par exemple bon pour le sec de ne pas devenir humide mais d'atteindre un état intermédiaire, il en est de même pour le chaud et pour le reste. Mais laissons ces considérations de côté, elles sont trop étrangères à notre propos.

Chapitre 11
(1159 b 25 - 1160 a 30)

Comme on l'a dit au début, l'amitié et la justice concernent les mêmes situations et se manifestent chez les mêmes personnes. Dans toute communauté, il y a en effet apparemment une certaine justice et une certaine amitié : on donne le nom d'amis aux hommes qui naviguent ensemble, aux compagnons d'armes ainsi qu'à ceux qui appartiennent aux autres communautés. Et leur amitié s'étend aussi loin que la communauté qu'ils forment. Il en va de même pour la justice.

Ainsi le proverbe « entre amis tout est commun[1] » est juste, car l'amitié consiste en une communauté. De même, tout est commun entre frères ou entre camarades, tandis que chez les autres hommes, les possessions sont séparées à des degrés divers, chez les uns davantage et chez les autres moins. Entre les amitiés, il y a également des différences de plus et de moins. Les actions justes diffèrent elles aussi les unes des autres. Les amitiés comme les actions justes ne sont pas identiques pour des parents à l'égard de leurs enfants et pour des frères entre eux. Elles ne sont pas non plus les mêmes entre camarades et entre concitoyens. Il en va de même pour les autres amitiés. Les actions injustes sont également différentes pour chacune de ces personnes.

Les actions injustes ont plus de gravité lorsqu'elles sont commises contre des amis. Il est par exemple plus terrible de dépouiller un camarade de ses biens qu'un concitoyen, plus terrible de ne pas secourir son frère qu'un étranger et plus terrible de frapper son père que n'importe quel autre homme. Mais la justice s'accroît naturellement avec l'amitié parce qu'on les rencontre chez les mêmes personnes et qu'elles ont une extension égale.

---

1. Maxime pythagoricienne, souvent citée par Platon, par exemple dans le *Gorgias*, 507 e.

Toutes les communautés semblent être des parties de la communauté politique. Toutes les communautés se rassemblent en effet autour d'un intérêt commun et se procurent l'un des éléments nécessaires à la vie. La communauté politique, elle aussi, paraît dès le début se constituer et perdurer à la faveur d'un intérêt commun. C'est en effet celui-ci que visent les législateurs et ils proclament qu'est juste ce qui constitue l'intérêt général.

Les autres communautés visent un intérêt particulier. Par exemple, les navigateurs désirent ce qui est dans l'intérêt de la navigation, dans le but de s'enrichir ou dans un autre but du même genre. De même, les membres de l'armée désirent ce qui conduit à la guerre parce qu'ils convoitent des richesses, de la gloire ou une cité. Il en va de même pour les membres d'une tribu[1] ou d'un dème[2]. Certaines communautés semblent reposer sur le plaisir, comme celle qui réunit les membres d'un thiase[3] ou celle qui rassemble les convives d'un dîner où chacun apporte sa contribution[4], la première ayant pour but de réaliser un sacrifice et la deuxième de se fréquenter.

Toutes ces communautés semblent subordonnées à la communauté politique. En effet, la communauté politique ne désire pas l'intérêt immédiatement présent, elle vise tout ce qui contribue à la vie.

En faisant des sacrifices et en constituant des associations à cet effet, les membres d'un thiase rendent aux dieux les honneurs qui leur sont dus et se procurent des récréations plaisantes. Les sacrifices et les réunions traditionnelles ont manifestement lieu après les récoltes de fruits, comme par exemple le sacrifice des prémices car c'était surtout dans ces périodes qu'on avait autrefois le plus de loisir. Toutes les communautés sont manifestement des parties de la communauté politique et des amitiés différentes correspondent à ces différentes communautés.

---

1. Le terme de tribu n'a pas ici le sens que lui donne l'usage moderne. La tribu était une circonscription politique athénienne qui regroupait une importante population et qui servait de cadre à la désignation d'un grand nombre de fonctionnaires.
2. Le dème était la circonscription politique de base de la démocratie athénienne.
3. Le thiase était une confrérie célébrant des rites en l'honneur d'un dieu et parcourant les rues avec une gaîté bruyante, en chantant, criant et dansant.
4. Les « syssities » étaient des associations ayant pour but la tenue de repas communs où chacun apportait sa contribution, en argent ou en nourriture.

Chapitre 12
(1160 a 31 – 1161 a 9)

Il y a trois espèces de régimes politiques. Leurs déviations, autrement dit leurs formes corrompues, sont en nombre égal. Les régimes politiques sont la royauté, l'aristocratie et, en troisième lieu, le régime qui est fondé sur le cens et que l'on nomme proprement « censitaire ». C'est ce dernier régime que la plupart des hommes ont l'habitude d'appeler simplement « régime politique ». Le meilleur de tous ces régimes est la royauté et le pire, le régime censitaire.

La déviation de la royauté est la tyrannie. Ces deux régimes sont des monarchies mais elles diffèrent beaucoup l'une de l'autre. Le tyran a en vue son propre intérêt alors que le roi a en vue l'intérêt de ceux qu'il gouverne. N'est pas roi l'homme qui ne se suffit pas à lui-même et qui ne surpasse pas les autres hommes par tous les biens qu'il possède. À l'opposé, un homme supérieur qui se suffit à lui-même n'a besoin de personne d'autre. Il peut ne pas prendre en considération ce qui est profitable pour lui-même et avoir en vue ce qui est profitable pour ceux qu'il dirige. Celui qui ne possède pas ces qualités serait un roi de fortune. La tyrannie est tout le contraire de la royauté. Le tyran poursuit en effet son propre bien. Ce régime est évidemment le moins bon. Le pire est en effet le contraire du meilleur et on passe de la royauté à la tyrannie. La tyrannie est en effet une forme pervertie de monarchie et un roi sans valeur devient un tyran.

On passe de l'aristocratie à l'oligarchie lorsque ceux qui commandent sont mauvais : ils répartissent les biens de la cité au mépris du mérite et s'en arrogent la majeure partie ou la totalité. Ils confient le pouvoir toujours aux mêmes personnes et font très grand cas de la richesse. Ceux qui commandent sont peu nombreux et sont de peu de valeur au lieu d'être d'une grande honnêteté.

Du régime censitaire on passe à la démocratie. Ces régimes sont en effet limitrophes. Le régime censitaire veut, lui aussi, être le pouvoir d'une multitude et veut que tous ceux qui paient le cens soient égaux. La démocratie est le moins mauvais des mauvais régimes. Elle dévie en effet très peu par rapport à l'espèce du « régime politique ».

C'est surtout ainsi que les régimes politiques se transforment, car, de cette façon, ils changent insensiblement et très facilement.

On pourrait trouver comme des images et des exemples de ces régimes dans les familles. La communauté formée par un père et ses fils a en effet la physionomie d'une royauté. Le père prend soin de ses enfants. De là vient qu'Homère donne à Zeus le nom de « père ». La royauté veut être un pouvoir paternel. Mais, chez les Perses, le pouvoir du père est tyrannique : il use de ses fils comme d'esclaves. Tyrannique est également le pouvoir du maître sur ses esclaves. En effet, dans ce type de pouvoir, l'intérêt du maître est seul pris en compte. Ce dernier pouvoir semble justifié mais le pouvoir paternel perse paraît aberrant. Les pouvoirs exercés par des personnes différentes sont en effet différents.

La communauté entre un homme et une femme est apparemment de type aristocratique. L'homme exerce le commandement conformément à sa valeur dans tous les domaines où l'homme doit commander. Mais toutes les fonctions qui seyent à une femme lui sont confiées. Si l'homme étend sa domination sur toutes choses, l'homme change cette communauté en oligarchie car il le fait au mépris de la valeur et non parce qu'il est meilleur. Parfois les femmes commandent, lorsqu'elles sont uniques héritières. Dans ce cas, les pouvoirs ne sont pas conformes à la vertu mais reposent sur la richesse et sur la puissance, comme dans les oligarchies.

La communauté entre frères ressemble au suffrage censitaire. Les frères sont en effet égaux sauf dans la mesure où ils diffèrent par l'âge. C'est pourquoi, s'il y a entre des frères une grande différence d'âge, leur amitié n'est plus fraternelle. La démocratie apparaît surtout dans les maisonnées sans maître ou bien dans les maisonnées où le maître est faible et où chacun a toute latitude.

Chapitre 13
(1161 a 10 – 1161 b 10)

Pour chacun des régimes politiques, on voit apparaître une amitié correspondante ainsi qu'une justice coextensive à cette amitié.

Pour un roi, l'amitié consiste en une supériorité de bienfaits envers ses sujets. S'il est bon et s'il prend soin d'eux, le roi fait en effet du bien à ses sujets afin qu'ils prospèrent, de la même façon qu'un berger

soigne ses moutons. De là vient qu'Homère appelle Agamemnon
« pasteur de peuples[1] ». L'amitié paternelle est de cette sorte, mais elle
se distingue par la grandeur des bienfaits qu'elle prodigue. Un père est
en effet la cause du fait même que son enfant existe, ce qui paraît le
plus grand des bienfaits. Il est également responsable de l'entretien et
de l'éducation de son enfant. On attribue également ces actes de
bienfaisance aux ancêtres. C'est donc par nature que le père domine ses
enfants, que les ancêtres dominent leurs descendants et que le roi
domine ses sujets. Ces amitiés, en elles-mêmes, consistent en une
supériorité et c'est pour cette raison que les parents sont honorés. Entre
toutes ces personnes, la justice ne consiste pas en une égalité
quantitative mais en une répartition proportionnelle à la valeur. Il en va
de même pour l'amitié qui unit ces personnes.

Entre un homme et une femme, il y a la même amitié que dans un
régime aristocratique. Il s'agit en effet d'une amitié conforme à la
vertu : le meilleur reçoit un bien plus important et ce qui sied à chacun
lui revient. Il en va de même pour la justice.

L'amitié entre frères ressemble à de la camaraderie. Ils sont en effet
égaux et ont le même âge. Ils ont la plupart du temps les mêmes affects
et les mêmes caractères. L'amitié correspondant au régime censitaire
ressemble à l'amitié entre frères. Dans ce régime, les citoyens veulent
en effet être égaux et honnêtes. Le commandement y est exercé par
chaque citoyen tour à tour, sur un pied d'égalité et il en va de même
pour l'amitié.

Dans les régimes politiques déviés, de même que la justice est
réduite, de même l'amitié l'est aussi. Elle est extrêmement réduite dans
le pire des régimes déviés. En effet, dans une tyrannie, il n'y a pas du
tout d'amitié ou seulement très peu. Là où il n'y a rien de commun entre
gouvernant et gouvernés, il n'y a pas d'amitié car il n'y a pas de justice.
Il en va ainsi par exemple des rapports qu'entretiennent l'artisan avec
son outil, l'âme avec son corps et le maître avec son esclave. Ceux qui
les utilisent peuvent en prendre soin, mais il n'y a ni amitié ni justice
envers les êtres inanimés. Il n'y en a pas non plus envers un cheval ou
envers un bœuf, ni envers un esclave en tant qu'esclave. Il n'y a en effet

---

1. Par exemple, Homère, *Iliade*, chant IV, vers 413.

rien de commun entre un maître et son esclave car l'esclave est un outil animé et l'outil, un esclave inanimé. On a de l'amitié pour lui non pas en tant qu'esclave mais en tant qu'homme. Il y a semble-t-il en effet une certaine justice que tout homme a envers tout autre homme capable de prendre part à un contrat ou à une loi. Il y a donc de l'amitié entre un maître et son esclave, dans la mesure où l'esclave est homme. Dans les tyrannies, les amitiés et la justice sont réduites, mais dans les démocraties elles sont plus développées. Des égaux ont en effet beaucoup en commun.

Chapitre 14
(1161 b 11 – 1161 b 33)

Toute amitié consiste en une communauté, comme on l'a déjà indiqué. Mais on peut mettre à part l'amitié entre membres d'une même famille et l'amitié entre camarades. Les amitiés politiques, les amitiés tribales, les amitiés qui se nouent lorsque l'on navigue ensemble et toutes les amitiés de ce type ressemblent davantage à des amitiés communautaires. Elles existent en effet en vertu d'un certain accord. On peut également ranger parmi elles l'amitié entre hôtes[1].

L'amitié entre membres d'une même famille semble également se diviser en plusieurs espèces mais elle relève toute entière de l'amitié paternelle. En effet, les parents aiment leurs enfants comme étant quelque chose d'eux-mêmes et les enfants aiment leurs parents comme étant quelque chose dont ils sont issus. Les parents savent que leurs enfants sont issus d'eux bien mieux que leurs propres enfants ne savent qu'ils sont issus d'eux. En effet, l'être d'où dérive un autre être est, avec l'être qu'il a engendré, dans une communauté plus étroite que l'être qu'il a engendré ne l'est avec l'être qui l'a fait. En voici la raison : ce qui dérive d'un être appartient en propre à l'être dont il est issu, comme par exemple une dent et un cheveu (ou n'importe quoi d'autre) appartiennent en propre à leur possesseur. Au contraire, l'être dont dérive un autre être n'appartient pas en propre à ce dernier, ou alors à un moindre degré.

---

1. *Cf.* note 1 p. 13.

Entre l'amitié qu'ont les parents pour leurs enfants et celle qu'ont les enfants pour leur parents, il y a également une différence de durée. Les parents aiment leurs enfants depuis l'instant où ils sont nés, alors que les enfants aiment leurs parents au bout d'un certain temps, une fois qu'il ont acquis intelligence ou sensation. Tout cela rend plus claires les raisons pour lesquelles les mères aiment davantage leurs enfants. Les parents aiment leurs enfants comme eux-mêmes. Les êtres qui sont issus d'eux sont en effet comme d'autres eux-mêmes. Mais les enfants aiment leurs parents comme les êtres dont ils sont nés.

Les frères s'aiment les uns les autres parce qu'ils sont nés des mêmes parents et que leur identité avec leurs parents les rend identiques les uns aux autres. C'est pour cette raison que l'on dit qu'ils sont « du même sang », « de même souche », *et cetera*. Ils sont pour ainsi dire le même être mais dans des individus distincts. Avoir été élevés ensemble et être du même âge est d'une grande importance pour leur amitié. On dit en effet « les jeunes aiment ceux de leur âge » et « ceux qui ont des habitudes communes sont camarades ». C'est pourquoi l'amitié entre frères est semblable à l'amitié entre camarades. La communauté entre cousins germains et entre les autres membres d'une même famille découle de l'amitié entre frères. Elle tient au fait d'être issu des mêmes ancêtres. Ces personnes sont plus familières ou plus étrangères les unes aux autres selon que l'ancêtre commun est plus proche ou plus éloigné.

L'amitié qu'ont les enfants pour leurs parents et l'amitié qu'ont les hommes pour les dieux est comme celle que l'on a pour ce qui est bon et supérieur. Les parents et les dieux sont en effet responsables de leur existence, de leur développement et de leur éducation. Cette amitié comporte plus de plaisir et d'utilité que l'amitié envers des étrangers, et elle en comporte d'autant plus que les êtres qu'elle unit vivent davantage ensemble.

L'amitié entre frères a les mêmes propriétés que l'amitié entre camarades et surtout les mêmes propriétés que l'amitié entre camarades vertueux. Plus généralement, elle a les mêmes caractéristiques que les amitiés entre des êtres semblables, et ce d'autant plus que les frères sont plus proches et s'aiment depuis la naissance, d'autant plus également que des personnes qui ont les mêmes parents, qui ont été élevées

ensemble et qui ont eu la même éducation ont des caractères plus
semblables. Le temps est la meilleure et la plus sûre des épreuves.
Entre les autres parents, l'amitié varie proportionnellement.

Entre l'homme et la femme, l'amitié semble conforme à la nature.
Par nature, l'homme est en effet plus enclin à vivre en couple qu'il n'est
politique, d'autant plus que la famille est antérieure à la cité et est plus
nécessaire qu'elle, d'autant plus aussi que faire des enfants est commun
à tous les êtres vivants. Mais, tandis que la communauté des autres
êtres vivants se limite à la reproduction, les hommes forment des
familles non seulement pour se reproduire mais aussi pour ce qui est
nécessaire à la vie. En effet, les fonctions ont été divisées depuis le
début et elles sont différentes pour l'homme et pour la femme. Ils
s'aident mutuellement en mettant en commun les qualités qui leur sont
particulières. Pour ces raisons, cette amitié comporte à la fois du plaisir
et de l'utilité. Elle peut également reposer sur la vertu, si l'homme et la
femme sont vertueux. Chacun des deux a en effet sa propre vertu et ils
en peuvent tirer de la joie. Les enfants semblent constituer un lien entre
eux. C'est pourquoi les couples sans enfants se défont plus vite. En
effet, les enfants sont un bien pour les deux époux et ce qui leur est
commun les maintient ensemble.

Pour savoir comment, dans la vie commune, un homme doit se
comporter envers sa femme, et de façon générale pour savoir comment
un ami doit se comporter envers son ami, il n'y a apparemment rien
d'autre à chercher que ce qui est conforme à la justice. En effet, pour un
ami, être juste n'est manifestement pas la même chose selon qu'il a
affaire à un ami, à un étranger, à un camarade ou à un condisciple.

Chapitre 15
(1161 b 34 – 1163 a 23)

Les amitiés sont au nombre de trois, comme il a été dit au début, et,
dans chacune d'entre elles, soit les amis sont égaux soit l'un est
supérieur à l'autre. En effet, de même que peuvent être amis soit des
hommes de bien entre eux soit un homme de bien et un homme de
moindre valeur, de même, ceux qui sont amis par plaisir et ceux qui le
sont par souci d'utilité tirent les uns des autres des avantages soit égaux

soit inégaux. En conséquence, les amis égaux entre eux doivent être dans un rapport d'égalité aussi bien en ce qui concerne l'affection que dans tous les autres domaines. Dans le cas d'amis inégaux, l'inférieur doit donner à son ami une compensation proportionnelle à la supériorité de ce dernier.

Les récriminations et les reproches apparaissent uniquement ou principalement dans les amitiés qui reposent sur l'utilité, comme on peut raisonnablement s'y attendre. Ceux qui sont amis par vertu s'efforcent avec ardeur de se faire réciproquement du bien (c'est le propre de la vertu et de l'amitié) et comme ils tendent vers ce but, il n'y a entre eux ni récriminations ni luttes. Personne n'est en effet mécontent d'une personne qui vous aime ou qui vous fait du bien. Au contraire, on lui rend la pareille, si l'on est courtois. Celui qui se montre supérieur par ses bienfaits n'adressera aucun reproche à son ami car il atteint ce qu'il désire. Chacun en effet désire le bien. Il n'y a pas non plus de récriminations chez les personnes dont l'amitié repose sur le plaisir. Toutes les deux atteignent en même temps ce qu'elles désirent, si vivre ensemble leur donne de la joie. Et celui qui reprocherait à son ami de n'être pas charmant paraîtrait ridicule, puisqu'il lui est possible de ne pas passer ses journées avec lui.

En revanche, l'amitié qui repose sur l'utile donne lieu à des récriminations. Comme dans cette amitié les amis usent les uns des autres dans leur propre intérêt, ils demandent toujours davantage, croient toujours recevoir moins que leur dû et reprochent à leurs amis de ne pas obtenir autant que ce qu'ils demandent alors qu'ils le méritent. Ceux qui font du bien à leurs amis ne peuvent pas leur donner autant d'aide qu'en demandent ceux qui la reçoivent. De même que la justice est de deux espèces, l'une non-écrite et l'autre conforme aux lois, de même, il y a, semble-t-il, deux espèces d'amitié reposant sur l'utilité, l'une est éthique et l'autre est fondée sur la loi. Des récriminations apparaissent surtout lorsque des amis se lient sans se référer à la même espèce d'amitié. C'est alors que des ruptures surviennent.

L'amitié fondée sur la loi est celle qui porte sur les contrats. Elle est soit tout à fait mercantile avec paiement de la main à la main, soit plus libérale sur le temps du paiement, mais elle se conforme toujours à une convention d'échange. L'obligation est manifeste et sans ambiguïté et c'est dans le délai de paiement que se trouve le caractère amical de l'échange. C'est pourquoi, chez certains peuples, il n'y a pas de recours en justice concernant ces accords car ces peuples estiment que ceux qui ont passé un contrat basé sur la confiance doivent en supporter les conséquences.

L'amitié éthique qui repose sur le souci d'utilité ne porte pas sur les contrats mais sur les présents que l'on fait à un ami ou sur tout autre don. On estime que l'on doit recevoir en retour un don égal ou supérieur comme si l'on avait fait un prêt et non pas un don. Et si l'on n'est pas dans la même situation lorsque l'on se lie et lorsque l'on rompt, on adressera des récriminations à son ami. Cela arrive parce que tous les hommes, ou du moins la plupart, veulent ce qui est noble mais préfèrent ce qui est profitable. Faire du bien sans en attendre en retour est noble, mais recevoir des bienfaits est profitable.

Quand on le peut, on doit rendre l'équivalent de ce que l'on a reçu et on doit le faire volontairement car on ne doit pas choisir pour ami une personne qui le ferait à contrecœur. Si l'on s'est trompé depuis le début et que l'on a reçu des bienfaits d'une personne qui ne devait pas nous en octroyer (si ces bienfaits ne viennent ni d'un ami ni de quelqu'un qui nous fait du bien pour nous faire du bien) on doit s'acquitter de ces bienfaits comme s'ils résultaient d'un contrat. Car dans un contrat, on consentirait à rendre ces bienfaits à condition d'en être capable. Et, dans l'hypothèse où on en serait incapable, celui qui nous a consenti un avantage n'en attendrait pas un en retour. De sorte que, si c'est possible, on doit rendre les bienfaits reçus. Dès le début, on doit donc examiner de quelles personnes on reçoit des bienfaits et sous quelles conditions on les reçoit afin de savoir si on peut les accepter ou non.

Une controverse s'élève sur le point suivant : faut-il mesurer un service à l'aune du profit qu'en tire celui qui le reçoit et calculer d'après lui ce qui doit être donné en retour ? Ou bien faut-il mesurer un bienfait d'après ce qu'il coûte au bienfaiteur ? Ceux qui bénéficient de tels bienfaits affirment que ce qu'ils ont reçu de leur bienfaiteur était peu de chose pour ce dernier et qu'ils auraient pu le recevoir d'autres personnes. En un mot, ils diminuent l'importance des bienfaits qu'ils ont reçus. Au contraire, les bienfaiteurs disent qu'ils ont donné leur bien le plus cher, que ce bien ne pouvait venir de personne d'autre et qu'ils l'ont concédé à un moment critique ou pour un besoin impérieux. Dans l'amitié qui repose sur l'utilité, la mesure du bienfait n'est-elle pas le profit qu'en tire celui qui reçoit le bienfait ? C'est en effet lui qui demande et l'autre lui donne de l'aide dans l'idée de recevoir un équivalent en retour. En conséquence, l'aide consentie a été à la mesure du bienfait reçu et celui qui l'a reçue doit rendre autant qu'il a reçu ou même davantage, ce qui est mieux. Dans l'amitié conforme à la vertu, il n'y a pas de récriminations et c'est le choix de celui qui octroie un bienfait qui est la mesure. Car dans le choix, la vertu et le caractère sont ce qu'il y a de plus important.

Chapitre 16
(1163 a 24 - 1163 b 28)

Des différends apparaissent également dans les amitiés qui comportent une supériorité. En effet, chacun des deux amis prétend à avoir davantage que l'autre. Et lorsque cela se produit, l'amitié disparaît. Le meilleur pense qu'il doit avoir davantage car un homme de bien doit recevoir davantage. Il en est de même pour un homme plus utile qu'un autre : personne ne prétend qu'un homme inutile doive recevoir une part égale à celle d'un homme utile. Si ce que l'on retire d'une amitié n'a pas la valeur des efforts que l'on consent, il s'agit non pas d'une amitié mais d'un véritable fardeau[1]. En effet, on estime alors qu'en amitié on doit suivre les mêmes règles que dans une société de capitaux : ceux qui reçoivent le plus sont ceux qui ont apporté la contribution la plus importante. Mais l'ami qui est dans le besoin ou qui est inférieur a un avis contraire. C'est en effet le propre d'un bon ami que d'aider ses amis qui sont dans le besoin. À quoi bon, dit-on, être ami avec un homme de valeur ou avec un homme puissant si l'on n'en tire aucun avantage ?

Chacun des deux amis a de justes prétentions et ils doivent tous deux, semble-t-il, retirer de leur amitié plus que l'autre, mais pas sur le même plan. À celui qui est de plus haute valeur, on attribuera une plus

---

1. Le terme exact employé par Aristote est ici « liturgie ». Les liturgies étaient, en Grèce ancienne, des services publics onéreux que l'État imposait aux plus riches citoyens et dont ceux-ci supportaient les frais. L'obligation pouvait par exemple consister à armer un navire de guerre ou à entretenir un chœur.

grande part d'honneur et à celui qui est dans le besoin on attribuera plus d'avantages matériels. L'honneur est en effet une prérogative de la vertu et de la bienfaisance. Les avantages matériels sont un soutien pour le besoin.

Il en va également ainsi dans les régimes politiques. Celui qui ne contribue en rien au bien de la communauté ne reçoit pas d'honneurs. On donne en effet un bien appartenant à la communauté à celui qui fait le bien de la communauté. Or, l'honneur est un bien appartenant à la communauté. Il n'est en effet pas possible de tirer de la communauté à la fois richesse et honneur et personne ne supporte d'avoir la position la plus basse dans tous les domaines à la fois. On donne donc des honneurs à celui qui dépense ses biens pour la communauté et des biens à celui accepte les gratifications. Respecter la proportionnalité conformément à la valeur établit l'égalité et sauve l'amitié, comme on l'a indiqué.

C'est de cette façon aussi que des personnes inégales doivent se comporter dans leurs rapports. Celui qui reçoit un avantage en argent ou en vertu doit rendre la pareille en honneur et donner ce qu'il est en mesure de donner. L'amitié ne recherche que le possible et non ce qui est exactement conforme à la valeur. Respecter la conformité avec la valeur n'est en effet pas possible dans tous les domaines, comme par exemple dans les honneurs que l'on rend aux dieux et à ses parents. Personne ne pourrait en effet leur rendre ce qu'ils méritent, mais celui qui les honore selon ses capacités est considéré comme un honnête homme. C'est pour cette raison également qu'il semblerait impossible qu'un fils renie son père et un père son fils.

Celui qui a une dette doit la rembourser, mais rien de ce qu'un fils peut faire n'a la valeur des bienfaits qu'il a reçus de son père, si bien qu'il est toujours son débiteur. Mais ceux envers lesquels on a une dette peuvent l'effacer. Un père le peut lui aussi. En même temps, personne ne semble abandonner quelqu'un s'il n'est pas d'une méchanceté excessive. En effet, à part dans l'amitié naturelle, il est humain de ne pas refuser de l'aide. Mais celui qui est méchant, on évite de l'aider ou on le soutient sans empressement. Pour la plupart, les hommes veulent recevoir des bienfaits mais ils évitent d'en donner car c'est à leurs yeux désavantageux. À ce sujet, c'est tout ce que l'on dira.

Livre IX
(1163 b 28 - 1172 a 15)

Chapitre 1
(1163 b 29 - 1164 b 21)

Dans toutes les amitiés d'espèces différentes, la proportionnalité établit l'égalité entre les amis et préserve leur amitié, comme on l'a indiqué. Par exemple, dans la communauté politique, le cordonnier reçoit, contre ses chaussures, une rémunération conforme à leur valeur, tout comme le tisserand et les autres artisans. Dans ces situations, la monnaie fournit un instrument de mesure commun : c'est à elle que l'on rapporte tout et c'est grâce à elle que l'on mesure tout.

Dans l'amitié amoureuse, celui qui aime se plaint parfois de donner beaucoup d'amour sans être aimé en retour. Mais s'il en est effectivement ainsi, c'est parce qu'il n'a rien d'aimable. De son côté, l'être aimé lui reproche d'avoir fait de nombreuses promesses et de ne pas les tenir. C'est ce qui arrive lorsque l'amant aime l'aimé pour le plaisir, alors que l'aimé aime son amant par souci d'utilité et que ni l'un ni l'autre n'y trouve son compte. C'est pour cette raison que leur amitié se rompt, lorsque ce pour quoi ils s'aimaient ne se réalise pas. En effet, ils ne s'aimaient pas en eux-mêmes mais aimaient des qualités qui ne sont pas inaltérables. C'est pourquoi leur amitié n'est pas non plus inaltérable. Mais l'amitié où les amis aiment leurs caractères respectifs existe par elle-même et perdure donc, comme on l'a indiqué.

Des différends apparaissent aussi entre les amis lorsqu'ils reçoivent l'un de l'autre autre chose que ce qu'ils désiraient. Ne pas obtenir ce que l'on désire, c'est en effet comme ne rien obtenir du tout. En voici une illustration : un homme promit à un cithariste que mieux il jouerait, plus il recevrait. Au matin, lorsque le cithariste réclama l'exécution de la promesse, l'homme répondit qu'il lui avait déjà rendu plaisir pour plaisir. Si tous les deux avaient voulu du plaisir, la situation aurait été satisfaisante. Mais si l'un cherche son agrément alors que l'autre veut un gain matériel et si le premier obtient ce qu'il veut mais pas le second, alors les conditions pour qu'ils constituent une communauté ne sont pas réalisées. On se préoccupe de ce dont on a besoin et, pour l'obtenir, on donne ce que l'on a.

Par qui la valeur d'un bien doit-elle être fixée ? Est-ce par celui dont provient le bien ou par celui qui le reçoit ? Celui dont le bien provient paraît s'en remettre à celui qui le reçoit. C'est ce que Protagoras faisait, à ce que l'on rapporte. En effet, lorsqu'il donnait un enseignement, il demandait à son élève d'évaluer le prix des connaissances qu'il avait acquises et prenait comme salaire exactement autant. Dans ces situations, certains préfèrent s'en tenir à l'adage « lorsqu'il s'agit d'un ami, qu'il fixe lui-même son salaire[1] ». Ceux qui reçoivent l'argent et qui ensuite ne font rien de ce qu'ils ont promis parce que leurs promesses sont excessives sont à juste titre en butte à des reproches, car ils ne font pas ce dont ils sont eux-mêmes convenus. C'est sans doute ce que les Sophistes sont contraints de faire, car personne ne donnerait de l'argent pour ce qu'ils savent. Les Sophistes qui reçoivent leur salaire à l'avance et qui ne font pas ce pour quoi ils ont été payés feront eux aussi l'objet de récriminations justifiées.

Dans les cas où il n'y a pas de convention d'entraide, ceux qui fournissent d'eux-mêmes de l'aide sont irréprochables, nous l'avons dit. Une telle amitié est en effet conforme à la vertu. Il faut donc rétribuer ces personnes à la mesure de leur intention et cette intention est digne à la fois d'un ami et de la vertu. C'est ainsi que nous nous comportons, semble-t-il, envers ceux qui nous font participer à la philosophie. Sa valeur n'est en effet pas mesurable en argent et aucune marque d'honneur ne peut lui être équivalente. Peut-être qu'envers eux, comme envers nos parents ou envers les dieux, il suffit de faire ce que nous pouvons.

Lorsque le don n'est pas gratuit mais qu'il est fait dans un but précis, la rétribution doit paraître aux deux parties conforme à la valeur du bien offert. Et si tel n'est pas le cas, il est non seulement nécessaire mais en outre juste, que celui qui reçoit le bien en fixe le prix. De cette

---

1. Hésiode, *Les travaux et les jours*, vers 370.

façon en effet, la rétribution reçue par celui qui fournit le bien sera à la mesure des avantages ou du plaisir que l'autre en aura retirés. Il en est ainsi également dans les échanges commerciaux. Dans certains pays, il existe même des lois interdisant tout recours en justice en matière de contrats volontaires, au motif que l'on doit se comporter envers la personne à laquelle on a accordé sa confiance de la même façon qu'au moment de l'accord. Dans ces pays, on estime plus juste que le prix soit fixé par celui qui a reçu la confiance que par celui qui a accordé sa confiance. En effet, ceux qui possèdent des biens et ceux qui veulent en recevoir ne donnent pas le même prix à la plupart des choses. Ce qui nous appartient en propre et que nous donnons nous paraît d'un haut prix. Mais, de la même façon, le niveau de la rétribution versée en échange de ces biens est fixé par ceux qui les reçoivent. En outre, il ne faut sans doute pas fixer le prix d'un bien selon la valeur que lui donne celui qui le possède mais selon la valeur qu'on lui donne avant de le posséder.

Chapitre 2
(1164 b 22 – 1165 a 35)

Les cas suivants posent problème : doit-on toujours céder à son père et lui obéir en tout, ou faut-il plutôt faire confiance à un médecin lorsque l'on est malade ? Doit-on élire général l'homme le plus apte à la guerre ? De la même façon, faut-il rendre service à un ami plutôt qu'à un homme de valeur ? Faut-il rendre à son bienfaiteur ce qu'on lui doit plutôt que de rendre service à un camarade, s'il est impossible de faire les deux ? N'est-il pas ardu de déterminer tout cela avec précision ? Entre ces situations, il y a en effet d'importantes et de nombreuses différences qui tiennent à la fois à leur grandeur et à leur petitesse, à leur beauté et à leur nécessité.

Il ne faut pas rendre tout ce que l'on doit à la même personne, c'est évident. On doit également, la plupart du temps, s'acquitter des bienfaits que l'on a reçus plutôt que de rendre service à des camarades, et l'on doit régler les dettes que l'on a contractées envers son créancier plutôt que de donner de l'argent à un camarade. Néanmoins, il ne faut sans doute pas agir toujours de cette façon. Prenons l'exemple d'un homme que des brigands ont relâché contre une rançon. Doit-il à son

tour payer la rançon de son libérateur, quel qu'il soit ? Doit-il restituer
le montant de la rançon à son libérateur au cas où celui-ci ne serait pas
tombé aux mains des brigands ou bien doit-il plutôt payer la rançon
pour délivrer son propre père ? Il doit plutôt, semble-t-il, délivrer son
propre père.

Comme on l'a déjà dit, en règle générale, on doit s'acquitter de ses
dettes. Mais si ce qu'on nous donne est d'une beauté excessive ou va
au-delà du nécessaire, il faut le refuser. Il n'est en effet parfois pas
équitable de rendre l'équivalent de ce que l'on a d'abord reçu, par
exemple, lorsqu'un homme a fait du bien à une personne qu'il savait
être honnête et lorsque cette dernière paye de retour un homme qu'il
croit être mauvais. Et si quelqu'un nous a prêté de l'argent, nous ne
sommes pas non plus toujours tenus de lui en prêter à notre tour. Car il
nous a fait un prêt parce que nous sommes honnêtes et parce qu'il
pensait ainsi rentrer dans ses fonds, alors que nous, nous n'avons aucun
espoir d'être remboursés par un homme malhonnête. Soit cet homme
est réellement malhonnête et alors sa demande n'est pas équitable, soit
il n'est pas malhonnête mais nous le croyons tel et alors il ne semble
pas incongru de ne rien lui prêter.

On l'a souvent souligné : les raisonnements qui portent sur les
affects et les actions sont aussi déterminés que leur objets.

Il est également évident qu'il ne faut pas rendre à chacun la même
chose et qu'il ne faut pas céder en tout à son père, de même qu'il ne faut
pas faire tous ses sacrifices à Zeus. Car on donne des choses différentes
à ses parents, à ses frères, à ses camarades et à ses bienfaiteurs. Il faut
attribuer à chacun ce qui lui convient et ce qui lui est approprié. C'est
ainsi que l'on se comporte effectivement, semble-t-il. On invite en effet
à son mariage les membres de sa famille. On partage avec eux une
lignée commune. Toutes les actions qui concernent cette lignée sont
donc elles aussi communes. C'est pour la même raison qu'on estime
que les membres de notre famille doivent surtout participer aux
cérémonies de deuil.

En outre, on doit avant tout pourvoir aux besoins en nourriture de
ses parents parce que l'on a une dette envers eux et parce qu'il est plus
noble d'aider ceux qui sont responsables de notre existence que de
subvenir à nos propres besoins. On doit honorer ses parents comme on

honore les dieux. Mais tous les honneurs ne leur conviennent pas. Les honneurs dus à un père ne sont pas identiques à ceux que l'on doit à une mère et ceux que mérite un sage diffèrent des honneurs dont un général est digne. À un père, il faut donc rendre les honneurs dus à un père et à une mère ceux que l'on doit à une mère. Plus généralement, nous devons rendre à toutes les personnes qui sont plus âgées que nous les honneurs dus à leur âge : aller à leur devant et nous incliner devant elles.

En revanche, avec des camarades et avec des frères, on peut adopter des manières plus libres et plus simples. Envers les membres de sa famille, envers les membres de son clan, envers ses concitoyens et envers toutes les autres personnes, on doit toujours essayer de se comporter de la façon la plus appropriée. Nous devons essayer de comparer ce qui revient à chacun en fonction de ses liens de parenté avec nous, de sa vertu ou de son utilité. Il est plus aisé de comparer des personnes assez semblables et plus laborieux de comparer des personnes différentes. Ce n'est pas une raison pour y renoncer et il faut faire ce genre de distinctions autant que possible.

Chapitre 3
(1165 b 1 - 1165 b 35)

Un autre point pose problème : lorsque nos amis ont changé, notre amitié pour eux disparaît-elle ? Autrement dit, lorsque nos amis ne nous sont plus utiles ou ne nous donnent plus de plaisir, alors même que nous étions amis avec eux par souci d'utilité ou par plaisir, est-il incongru que notre amitié pour eux disparaisse ? Nous étions, en effet, amis du plaisir ou de l'utilité. Si ces derniers viennent à faire défaut, il est naturel que l'amitié cesse.

Si un homme prétendait qu'il a de l'amitié pour quelqu'un en raison de son caractère alors qu'il en est l'ami par souci d'utilité ou par plaisir, il s'exposerait à de justes reproches. Comme nous l'avons en effet indiqué au début, les différends entre amis se multiplient lorsque la façon dont ils croient être amis diffère de la façon dont ils sont amis. Lorsque quelqu'un croit, à tort, être aimé pour son caractère alors que l'autre ne fait rien pour l'induire en erreur, il n'a qu'à s'en prendre à lui-même. Mais lorsqu'il a été abusé par les tromperies de l'autre, il peut à juste titre se plaindre de lui, bien plus encore que s'il s'agissait d'un faux-monnayeur puisque la perfidie porte sur un objet de valeur plus haute.

Si l'on prend pour ami quelqu'un qui passe pour un homme de bien alors qu'il est mauvais et se révèle tel, faut-il encore l'aimer ? Ou bien est-ce impossible dans la mesure où rien n'est digne d'amour que ce qui est bien ? Ce qui est misérable n'est pas digne d'être aimé et ne doit pas être aimé. Il ne faut en effet ni aimer un ami de la vilenie ni lui ressembler car on a déjà indiqué que le semblable est ami du semblable. Faut-il rompre sur le champ avec de tels amis ? Ou bien faut-il rompre seulement avec ceux dont la perversité est incurable ? On doit au contraire venir en aide à ceux qui se corrigent et l'on doit soutenir leur caractère plus que leur fortune : cela est plus noble et cela convient davantage à l'amitié. Mais celui qui romprait avec un tel ami ne semblerait rien faire d'incongru. Il n'était en effet pas l'ami d'un homme de ce genre. Il se sépare simplement de quelqu'un qui s'est altéré et qu'il ne peut pas sauver.

Si, de deux amis, l'un demeure le même alors que l'autre devient plus honnête et se distingue par sa vertu de façon considérable, le premier doit-il toujours être ami avec le second ? Ou bien cela est-il impossible ? Lorsque la distance est de taille, la réponse devient particulièrement évidente, comme dans le cas des amitiés d'enfance. En effet, si de deux amis, l'un reste enfant par son esprit alors que l'autre devient un homme (et même l'un des meilleurs) comment pourraient-ils rester amis ? Ils n'ont ni les mêmes plaisirs, ni les mêmes joies, ni les mêmes peines. Et tout cela fera défaut dans leurs rapports mutuels. Or, sans cette communauté d'affects, il leur est impossible d'être amis car il leur est impossible de vivre ensemble, nous l'avons déjà indiqué.

Faut-il se comporter envers un ancien ami exactement comme s'il n'avait jamais été un ami ? Ou bien faut-il conserver le souvenir de cette intimité et, de même que nous pensons qu'il faut faire plaisir à ses amis plutôt qu'à des étrangers, de même également nous devons quelque chose à nos anciens amis en raison de notre amitié passée, mais seulement lorsque la rupture n'est pas due à un excès de méchanceté.

Chapitre 4
(1166 a 1 – 1166 b 29)

L'amitié que l'on a pour autrui ainsi que les caractéristiques qui définissent les différentes amitiés découlent de l'amitié que l'on a pour soi-même. On affirme en effet que l'ami est celui qui veut et qui fait du bien (ou, du moins, ce qui lui semble tel) à une personne pour cette personne elle-même, ou bien celui qui veut que son ami existe et vive pour cet ami lui-même. C'est ce qu'éprouvent les mères pour leurs enfants et les amis qui sont brouillés. Certains soutiennent que l'ami est celui qui vit avec une personne et a les mêmes préférences qu'elle, ou qui partage ses joies et ses peines. Encore une fois, c'est surtout le cas des mères. Les partisans de cette dernière thèse définissent eux aussi l'amitié par l'une de ces caractéristiques.

Mais chacune de ces caractéristiques appartient à l'homme honnête dans ses rapports avec lui-même. Elles appartiennent également aux autres hommes dans la mesure où ils estiment être des hommes de bien, car, comme il a été indiqué, l'homme de valeur et la vertu sont la mesure de toutes choses. L'homme de valeur est en effet en accord avec lui-même et il désire les mêmes choses de toute son âme. Il veut pour lui-même ce qui est bien ou ce qui lui paraît tel, et il le fait car travailler au bien est d'un homme de bien. De plus, il se fait du bien à lui-même pour lui-même. Il le fait pour ce qui relève en lui de la raison et qui semble être ce que chacun est. Il veut vivre et se préserver et il veut avant tout que soit préservé ce par quoi il pense. Exister est en effet un bien pour l'homme de valeur. Or, chacun veut du bien pour lui-même et personne ne choisirait de devenir autre qu'il n'est pour posséder tout ce qui existe (le dieu a en effet déjà maintenant le bien existant). Et la faculté de penser est ce que chacun est, ou, du moins, la faculté de penser est ce que chacun est principalement. L'homme de valeur veut passer son temps avec lui-même et il le fait avec plaisir. Le souvenir qu'il a de ses actions passées est agréable et les espoirs qu'il place en ses actions à venir sont bons. Souvenirs et espoirs pour lui sont sources de plaisir. Sa pensée a nombre d'objets à contempler. Ses souffrances et ses plaisirs, il les partage avec lui-même.

Ses motifs d'affliction sont toujours les mêmes et ses sources de plaisir ne varient pas non plus. Il est, pour ainsi dire, sans regrets. Les rapports qu'entretient l'homme honnête avec lui-même comportent toutes ces caractéristiques. En conséquence, il se comporte envers son ami comme envers lui-même. L'ami est en effet un autre soi-même. L'amitié tient donc à certaines de ces caractéristiques et ceux qui les possèdent sont amis.

Toutefois, est-il possible ou est-il impossible d'avoir de l'amitié envers soi-même ? Laissons cette question de côté pour le moment. Il y a amitié à condition que soient réunies au moins deux des caractéristiques que nous avons mentionnées, parce que la forme supérieure de l'amitié ressemble au rapport que l'on a avec soi-même.

Apparemment, les hommes possèdent pour la plupart les caractéristiques mentionnées, même s'ils sont vils. Il est vrai qu'ils s'aiment eux-mêmes et qu'ils pensent être des honnêtes hommes : n'est-ce pas pour cette raison qu'ils les possèdent partiellement ? Car, parmi les scélérats et parmi les hommes particulièrement vils personne n'a ni ne paraît avoir ces qualités. Et il en va à peu près de même pour les hommes sans valeur. Ils sont en différend avec eux-mêmes et ne désirent pas ce qu'ils veulent, tout comme les hommes qui ne sont pas maîtres d'eux-mêmes. En effet, au lieu de choisir ce qui leur semble bon, ils préfèrent ce qui leur donne du plaisir mais qui leur est nocif en réalité. D'autres, par lâcheté et par paresse, renoncent à faire ce qu'ils pensent être le meilleur pour eux-mêmes. Ceux qui ont commis des actes terribles en nombre se détestent eux-mêmes pour leur bassesse. Ils fuient la vie et se suicident.

Les hommes de peu cherchent des personnes avec qui passer leurs journées et se fuient eux-mêmes. En effet, lorsqu'ils sont seuls avec eux-mêmes, ils se souviennent de leurs actes les plus accablants et ils forment d'autres projets du même genre pour le futur. Au contraire, lorsqu'ils sont avec d'autres personnes, ils oublient tout cela. Ils n'ont rien d'aimable et n'ont d'ailleurs aucune amitié pour eux-mêmes. Ils ne partagent pas avec eux-mêmes leurs propres joies et leurs propres peines. En effet, leur âme est en proie à la division. Tantôt elle souffre, en raison de sa bassesse, de ne pas faire certains actes, tantôt elle s'en réjouit. Tantôt elle les tire par ici, tantôt elle les tire par là et finit par les déchirer. S'il n'est pas possible qu'elle ressente de la peine et du plaisir exactement en même temps, néanmoins, elle s'afflige peu après du plaisir qu'elle vient de prendre et voudrait n'en avoir pas eu. Les hommes de peu sont en effet pleins de regrets. L'homme de peu ne paraît pas non plus être envers lui-même dans des dispositions amicales parce qu'il n'a rien d'aimable. Mais s'il lui est trop pénible d'être ainsi, il doit fuir sa propre bassesse et essayer d'être honnête. C'est ainsi qu'il se comportera peut-être en ami envers lui-même et deviendra ami avec d'autres personnes.

Chapitre 5
(1166 b 30 - 1167 a 21)

La bienveillance ressemble à l'amitié mais elle n'est pas l'amitié. La bienveillance peut rester latente et s'adresser à des personnes qui n'en n'ont pas connaissance, mais pas l'amitié, on l'a déjà dit. L'amitié n'est pas non plus l'affection. L'amitié n'a en effet ni la tension ni le désir qui accompagnent l'affection. L'affection est inséparable d'habitudes communes, alors que la bienveillance peut être soudaine. Cela se produit lorsqu'il s'agit d'athlètes. Nous avons de la bienveillance pour eux, nous voulons la même chose qu'eux, mais nous ne voudrions pas du tout agir avec eux. En effet, nous l'avons déjà indiqué, lorsque l'on devient soudainement bienveillant, on aime superficiellement.

La bienveillance ressemble au commencement de l'amitié, un peu comme le plaisir de la vue est le début de l'amour. Personne ne s'éprend avant d'avoir pris plaisir à voir une belle forme, mais celui qui a de la joie à la voir n'en est pas épris pour autant. Il est épris uniquement une fois qu'il a regretté son absence et qu'il a désiré sa présence. Ainsi, il n'est pas possible d'être amis sans être bienveillants mais des personnes bienveillantes n'en sont pas pour autant des amis. Elles veulent seulement du bien aux personnes envers lesquelles elles sont bienveillantes mais elles ne voudraient ni agir avec elles ni être dérangées par elles. Par métaphore, la bienveillance pourrait apparaître comme une amitié paresseuse qui, avec le temps et des habitudes communes, devient de l'amitié. Mais la bienveillance ne devient pas une amitié qui repose sur l'utilité ou sur le plaisir. La bienveillance ne provient en effet ni de l'utilité ni du plaisir.

L'homme qui a reçu des bienfaits et qui montre en retour de la bienveillance agit de façon juste. Mais l'homme qui veut qu'un autre soit heureux dans l'espoir d'en tirer lui-même bénéfice semble avoir de la bienveillance non pour cette personne mais plutôt pour lui-même. De la même façon, nous ne sommes pas l'ami de quelqu'un si nous prenons soin de lui parce que cela nous est utile.

En un mot, la bienveillance est suscitée par la vertu et par une certaine honnêteté. Elle naît chez quelqu'un lorsqu'une personne lui paraît noble, courageuse ou douée d'une qualité de ce genre, comme dans le cas des athlètes que nous avons mentionnés.

Chapitre 6
(1167 a 22 - 1167 b 15)

La concorde paraît elle aussi relever de l'amitié. C'est pour cette raison que la concorde n'est pas le simple fait d'avoir des opinions identiques : des personnes qui ne se connaissent pas les unes les autres pourraient elles aussi avoir des opinions identiques. Lorsque des personnes sont d'accord sur un sujet quelconque, on ne dit pas que la concorde règne entre elles, comme par exemple dans le cas où des personnes sont du même avis sur les phénomènes célestes. Avoir des vues concordantes sur ces matières ne relève en effet pas de l'amitié.

On dit que des cités vivent dans la concorde lorsque leurs citoyens ont un avis identique sur les intérêts de la cité, font les mêmes choix et réalisent les projets décidés en commun. La concorde porte en effet sur les actions et plus précisément sur les actions d'importance qui peuvent concerner deux partis ou même tous les partis dans la cité. Il y a par exemple concorde dans une cité lorsque tous les citoyens décident que les postes de commandement seront pourvus par voie d'élection, lorsqu'ils décident qu'il faut conclure une alliance avec les Lacédémoniens ou bien lorsqu'ils décident que Pittacos[1] exercera le pouvoir, au moment, du moins, où lui-même le veut. Au contraire, lorsque chacun des deux partis poursuit son propre intérêt, comme dans

---

1. Pittacos, l'un des Sept Sages de la Grèce antique, avait été élu pour gouverner Mytilène. Mais il renonça ensuite au pouvoir malgré l'opposition de ses concitoyens. En conséquence, la concorde régna à Mytilène durant toute la période où Pittacos accepta de gouverner.

les *Phéniciennes*[1], les citoyens se divisent. Il n'y a pas concorde lorsque les deux partis ont simplement le même projet, quel qu'il soit. Il y a concorde uniquement lorsque les deux partis ont le même projet et confient ce projet à la même personne, comme par exemple lorsque le peuple et les honnêtes gens décident que les meilleurs exerceront le commandement. C'est en effet de cette façon que tous ont ce qu'ils désirent.

La concorde est donc manifestement une amitié politique, comme on l'a déjà indiqué. Elle porte sur les intérêts de la cité et sur ce qui contribue à la vie.

C'est parmi les honnêtes hommes qu'une telle concorde règne. Ils sont en effet en concorde avec eux-mêmes et en concorde les uns avec les autres. Ils sont, pour ainsi dire, sur la même ligne. Les volontés de tels hommes restent stables. Elles ne sont pas sujettes à des mouvements de reflux comme les eaux des détroits. Ils veulent à la fois ce qui est juste et ce qui est avantageux et ils le désirent en commun. Les hommes vils ne sont pas capables de concorde, ou alors seulement dans une faible mesure, exactement de la même façon qu'ils sont capables d'amitié. Ils désirent toujours plus que leur part d'avantages matériels et moins que leur part des charges et des services d'intérêt public. Comme chacun d'eux veut tout cela pour lui-même, il surveille autrui et l'empêche de l'obtenir. Et si l'on n'y prend pas garde, le bien commun disparaît. La division survient entre eux et ils se contraignent les uns les autres à faire ce qui est juste sans vouloir le faire eux-mêmes.

Chapitre 7
(1167 b 16 – 1168 a 26)

Apparemment, les bienfaiteurs aiment ceux auxquels ils ont fait du bien davantage que ceux qui ont reçu des bienfaits n'aiment ceux qui les leur ont octroyés. Comme cela est contraire à la raison, examinons ce point.

La plupart des hommes considère que ceux qui reçoivent des bienfaits sont des débiteurs et que leurs bienfaiteurs sont des

---

1. Tragédie d'Euripide, qui retrace la guerre entre deux frères, Étéocle et Polynice, et entre leurs partis respectifs, pour la possession du trône de Thèbes.

créanciers. Lorsqu'une dette est contractée, les débiteurs veulent que leurs créanciers disparaissent alors que les créanciers veillent à ce que leurs débiteurs restent en vie. De la même façon, ceux qui ont dispensé des bienfaits veulent que ceux qui en ont bénéficié restent en vie pour recevoir d'eux de la reconnaissance. Au contraire, ceux qui ont reçu des bienfaits n'ont cure de s'acquitter de leurs dettes. Épicharme dirait sans doute que ceux qui soutiennent ce point de vue voient les choses par leur mauvais côté[1]. Mais tout cela paraît bien humain. Les hommes du vulgaire ont la mémoire courte et préfèrent recevoir des bienfaits plutôt qu'en donner. La cause en est assez naturelle. Toutefois, le comportement de ceux qui prêtent de l'argent n'a pas une cause semblable. Ces derniers n'ont pas d'affection pour leurs débiteurs, ils veulent que leurs débiteurs restent en vie uniquement pour récupérer leur argent.

Au contraire, ceux qui répandent des bienfaits aiment et affectionnent ceux qui les reçoivent, même si ces derniers ne leur sont pas utiles et ne pourront pas l'être à l'avenir. C'est exactement ce qui arrive aux artisans. Ils aiment tous leur propre ouvrage davantage que leur ouvrage ne les aimerait s'il était vivant. Mais cela arrive peut-être avant tout aux poètes. Ils aiment infiniment leurs propres œuvres et les chérissent comme leurs enfants. C'est à ce cas de figure que ressemble la situation des bienfaiteurs. Leur ouvrage à eux consiste à faire en sorte que quelqu'un reçoive des bienfaits. Eux aussi aiment leur ouvrage plus que leur ouvrage ne les aime. La cause en est que tous les êtres désirent et aiment leur propre existence. Or, nous sommes en acte (nous sommes en effet en acte du fait que nous vivons et que nous agissons) et, d'une certaine façon, celui qui réalise un ouvrage est cet ouvrage en acte. Il aime donc son ouvrage parce qu'il chérit le fait d'être en acte, c'est-à-dire le fait d'exister. Et ceci est naturel. En effet, l'ouvrage révèle en acte ce qui est en puissance.

Pour le bienfaiteur, son action a quelque chose de noble, de sorte qu'il se réjouit de ce en quoi elle consiste. Mais, en même temps, pour celui qui reçoit le bienfait, en bénéficier n'a rien de noble, c'est seulement profitable. C'est donc également moins plaisant et moins

---

1.   Fragment 146 Kaibel. Épicharme est un poète comique disciple d'Héraclite.

aimable. Il y a trois sources de plaisir : l'acte présent, l'espoir du futur et le souvenir du passé. Ce qui donne le plus de plaisir et attire donc le plus notre amitié, c'est ce qui est en acte. Pour celui qui a réalisé quelque chose, son ouvrage perdure, car ce qui est noble dure longtemps. Mais pour celui qui en a reçu le bénéfice, son utilité s'évanouit rapidement. Se souvenir de ce qui est noble donne du plaisir, mais se souvenir de ce qui est utile en donne moins ou même pas du tout. En effet, lorsque l'on attend quelque chose de noble, il se produit l'inverse de ce qui se produit lorsque l'on attend quelque chose d'utile.

Or, l'affection est semblable à une production et être aimé est semblable à une passivité. L'amitié et l'affection accompagnent ceux dont la supériorité tient à leurs actions. En outre, tous les hommes préfèrent ce qui s'obtient avec peine. Par exemple, ceux qui ont acquis leurs richesses par eux-mêmes y tiennent davantage que ceux qui les ont reçu par voie d'héritage. Or, recevoir des bienfaits n'exige aucun effort, semble-t-il, alors qu'en donner paraît difficile. C'est aussi pour cette raison que les mères aiment davantage leurs enfants. Engendrer est pour elles plus pénible et elles savent mieux que leurs enfants viennent d'elles. Cette remarque est également appropriée à la situation des bienfaiteurs.

Chapitre 8
(1168 a 27 – 1169 b 1)

Faut-il s'aimer soi-même plus que n'importe quel autre ? Voilà qui pose problème.

De fait, nous blâmons ceux qui s'aiment eux-mêmes plus que tout et nous les traitons d'égoïstes pour leur faire honte. L'homme vil agit en effet exclusivement dans son propre intérêt et plus il est mauvais, plus il agit de cette façon. On lui reproche de ne rien faire si ce n'est pour lui-même. Au contraire, l'honnête homme agit par noblesse. Et plus il est honnête homme, plus il agit par noblesse, pour son ami et en négligeant son propre intérêt. Il y a pourtant loin de ces discours aux actes, et ce, non sans raison.

On dit en effet qu'il faut aimer au plus haut point son meilleur ami et que l'ami le meilleur est celui qui veut du bien à son ami pour cet ami lui-même, même au cas où personne ne saura jamais qu'il a agit ainsi. Or, ces caractéristiques se manifestent au plus haut point dans les relations que l'on entretient avec soi-même. Et toutes les autres caractéristiques qui définissent l'ami y apparaissent également. Nous avons en effet indiqué que toute amitié se propage de soi-même vers les autres. Tous les proverbes s'accordent d'ailleurs sur ce point : on dit, par exemple, que « des amis forment une seule âme[1] », qu'« entre amis, tout est commun[2] », que « l'amitié est une égalité » et que « charité bien ordonnée commence par soi-même[3] ». Or, tout cela est parfaitement applicable à soi-même, car on est à soi-même son meilleur ami et l'on doit s'aimer soi-même au plus haut point. C'est donc à bon droit que l'on est embarrassé pour savoir quelle opinion on doit adopter. Toutes les deux ont en effet quelque chose de plausible. En conséquence, il faut sans doute distinguer ces deux argumentations l'une de l'autre et il faut aussi déterminer jusqu'à quel point et de quelle façon chacune des deux est vraie. Si nous pouvions saisir dans quels sens l'une et l'autre emploient le terme d'égoïsme, peut-être ce problème s'éclaircirait-il.

Les uns blâment l'égoïsme et traitent d'égoïstes ceux qui s'arrogent plus d'argent, d'honneurs et de plaisirs physiques que les autres. Les hommes désirent en effet tout cela, pour la plupart. Ils s'en préoccupent parce qu'il s'agit, selon eux, des plus grands biens et c'est pour cette raison qu'ils se les disputent. Ceux qui sont avides de ces biens s'en remettent à leurs désirs, à leurs affects et, plus généralement, à ce qu'il y a d'irrationnel dans leur âme. Les hommes sont ainsi pour la plupart. C'est pourquoi le terme d'égoïste a pris ce sens : il tire sa signification du type d'homme le plus répandu et le plus vil. On blâme donc à juste titre les hommes qui sont égoïstes dans ce sens.

Le commun des hommes a l'habitude d'appeler égoïstes ceux qui s'arrogent des biens de cette sorte, c'est évident. Mais si un homme s'efforce toujours et avant toutes choses d'accomplir lui-même des

---

1. Euripide, *Oreste*, vers 1046.
2. *Cf.* note 1 p. 23.
3. Ce proverbe moderne est une transposition de la maxime de Théocrite qu'Aristote reprend ici. La formule littérale est « le genou est plus près que la jambe » (XVI, 18), ce qui signifie qu'il faut aller au plus près, or, le plus près de soi-même, c'est soi-même.

actions justes, sages ou conformes à toute autre vertu, et s'il se réserve toujours ce qui est noble, personne ne le blâmera ni ne le traitera d'égoïste. Pourtant, un tel homme pourrait paraître très égoïste. Il s'attribue en effet ce qu'il y a de plus noble et ce qu'il y a de meilleur. Il s'en remet en outre à ce qui est dominant en lui et il lui obéit en tout. De la même façon, une cité est avant tout ce qui est dominant en elle et c'est le cas de tout ensemble organisé, comme l'homme, par exemple. L'égoïste est donc d'abord celui qui aime ce qui est dominant en lui et qui s'en remet à cela. Et l'on dit d'un homme qu'il est maître de lui-même ou qu'il ne l'est pas, selon que son esprit le gouverne ou non, puisque chaque homme est précisément cela, c'est-à-dire son esprit. Ces égoïstes-là semblent agir volontairement et de façon hautement rationnelle. Chaque homme est ce qui est dominant en lui ou, du moins, chaque homme est surtout cela, c'est évident. Il est également évident que c'est cela que l'honnête homme aime avant tout. C'est pourquoi il est un égoïste au plus haut point mais un égoïste d'une espèce différente de celle que l'on blâme. Cet égoïste-là diffère de l'égoïste de l'autre espèce autant que vivre conformément à la raison est différent de vivre conformément aux affects et autant que désirer ce qui est noble diffère de désirer ce qui est avantageux.

Tous les hommes approuvent et louent ceux qui ont particulière-ment à cœur d'agir noblement. Si tous rivalisaient de noblesse et si tous s'efforçaient d'accomplir les actions les plus belles possible, tous rempliraient leurs devoirs envers la communauté et chacun, dans sa vie privée, jouirait des plus grand biens, puisque la vertu consiste précisément en cela. Par conséquent, l'homme de bien doit être égoïste (il trouvera en effet lui-même un avantage à agir noblement et sera utile aux autres) mais l'homme de peu ne le doit pas, car il se nuira à lui-même et il nuira aux autres en suivant de mauvais affects. Chez l'homme de peu, il y a en effet dissonance entre ce qu'il doit faire et ce qu'il fait effectivement. Mais l'honnête homme, ce qu'il doit faire, il le fait. En effet, tout esprit préfère ce qu'il y a de plus excellent pour lui-même et l'honnête homme obéit à son esprit. Mais il est également vrai que l'homme de valeur agit beaucoup dans l'intérêt de ses amis et de sa patrie, même s'il doit mourir pour eux. Pour eux, il sacrifiera richesses, honneurs et tous les autres biens que les hommes se disputent mais il se réservera ce qui est noble. Il préfère un court moment d'extrême jouissance à une longue période de plaisirs tranquilles, un an de vie noble et belle à plusieurs années d'une existence médiocre ainsi qu'une seule grande et belle action à une série d'actes insignifiants. C'est sans aucun doute le cas de ceux qui donnent leurs vies pour leur patrie ou pour leurs amis. Eux aussi choisissent ce qu'il y a de plus beau.

L'honnête homme prodiguera son argent autant que nécessaire pour que ses amis obtiennent un surcroît d'avantages. Ses amis en tireront de l'argent mais il y gagnera lui de l'illustration. Il s'attribue donc le meilleur des deux biens. Il agira de la même manière concernant les honneurs et les postes de commandement. Il cèdera tout cela à son ami et ce sera pour lui quelque chose de noble et une source d'honneur. C'est à juste titre qu'il paraît valeureux, car il préfère ce qui est noble à tout le reste. Il est même possible qu'il abandonne certaines belles actions à son ami, car être la cause des belles actions de son ami est encore plus noble que de les faire soi-même. L'homme de valeur se réserve manifestement, parmi tous les actes qui attirent les éloges, ce qu'il y a de plus beau et de plus noble. Il doit être égoïste de cette façon, comme on l'a indiqué. Mais être égoïste au sens où l'entend le vulgaire, on ne le doit pas.

Chapitre 9
(1169 b 2 - 1170 b 19)

Un point fait difficulté concernant l'homme heureux : a-t-il oui ou non besoin d'amis ? On prétend en effet que les hommes qui sont bienheureux et qui se suffisent à eux-mêmes n'ont nul besoin d'amis. Ils sont, dit-on, déjà pourvus de tous les biens. Les hommes qui se suffisent à eux-mêmes n'ont donc besoin de personne d'autre puisqu'un ami est un autre soi-même qui apporte ce que l'on est incapable d'obtenir par soi-même. De là vient l'adage « si la fortune te sourit, à quoi bon des amis ?[1] »

---

1. Euripide, *Oreste*, vers 667, la formule grecque est littéralement : « lorsque ton démon t'a bien doté, à quoi bon des amis ? » Le démon est en Grèce ancienne un bon génie personnel.

Il paraît pourtant incongru d'attribuer à l'homme heureux tous les biens sauf des amis, alors qu'avoir des amis semble être le plus grand de tous les biens extérieurs. Si le propre d'un ami est de faire du bien plutôt que d'en recevoir, si, en outre, le propre d'un homme de bien et le propre de la vertu est de répandre des bienfaits et s'il est donc plus beau de faire du bien à ses amis qu'à des étrangers, alors, l'homme de valeur aura besoin de personnes qui recevront ses bienfaits. C'est d'ailleurs pour cette raison que l'on cherche si des amis sont davantage nécessaires dans le bonheur ou dans le malheur. Un homme dans le malheur a besoin de bienfaiteurs, alors que l'homme heureux a besoin de personnes auxquelles il pourra faire du bien.

Il est donc sans doute incongru de faire du bienheureux un solitaire car personne ne voudrait posséder tous les biens et en jouir seul. L'homme est un animal politique et il est né pour vivre avec d'autres hommes. L'homme heureux a lui aussi cette caractéristique. Il possède des biens par nature, mais il est évident qu'il passe son temps avec des amis et des hommes de bien plutôt qu'avec des étrangers ou avec les premiers venus.

Que disaient au juste les partisans de la première thèse et dans quelle mesure disaient-ils vrai ? N'affirmaient-il pas tout simplement que les hommes croient, pour la plupart, que sont des amis les personnes qui leur sont utiles ? Au contraire l'homme bienheureux n'a pas besoin de tels amis puisqu'il est déjà pourvu de biens. Il n'a pas non plus besoin des amis que l'on fréquente pour le plaisir, ou seulement très peu, car la vie de ceux qui n'ont pas besoin de plaisirs extérieurs est elle-même source de plaisir. En conséquence, celui qui n'a pas besoin de tels amis n'a, en apparence, pas besoin d'amis. Mais ce n'est sans doute pas vrai.

Au début de l'ouvrage, nous avons montré que le bonheur est une certaine activité. Or, il est évident qu'une activité a un devenir et qu'elle n'est pas comme une chose que l'on possède. Si être heureux consiste à vivre et à être en acte, si l'activité de l'homme heureux est par elle-même valeureuse et source de plaisir, ainsi qu'on l'a dit au début, si, de plus, ce qui est propre à un être donne du plaisir à cet être, si, en outre, nous pouvons contempler les autres mieux que nous-mêmes et leurs actions mieux que les nôtres et enfin si les actions des hommes de bien qui sont leurs amis donnent du plaisir aux hommes de bien (elles possèdent les deux caractéristiques qui sont par nature sources de plaisir), alors l'homme bienheureux aura besoin de tels amis puisqu'il préfère contempler des actions honnêtes ainsi que des actions qui lui sont propres et puisque de telles actions sont également propres à l'homme de bien qui est son ami.

On estime également que la vie d'un homme heureux doit comporter du plaisir. Or, la vie d'un solitaire est pénible. Il n'est en effet pas aisé à un homme seul d'être en acte de façon continue. Il est plus facile d'être en acte de façon continue lorsque l'on agit avec ou pour d'autres personnes. L'activité sera alors plus continue étant par elle-même source de plaisir. Ce sont là les caractéristiques que l'activité doit avoir dans le cas d'un homme bienheureux. L'homme de valeur, du fait même qu'il est un homme de valeur, tire de la joie des actions conformes à la vertu et s'afflige des actions dont la méchanceté est la source, exactement de la même façon que le musicien tire du plaisir des beaux chants et s'afflige de ceux qui sont de piètre qualité. De plus, « vivre avec des hommes de bien exerce à la vertu » comme le dit Théognis[1].

À ceux qui examinent de plus près la nature des choses, l'ami qui est un homme de valeur semble, par sa nature, avoir la préférence de l'homme de valeur. On a en effet indiqué que ce qui est bien par nature est bien pour l'homme de valeur et donne du plaisir en soi. La vie se définit, pour les animaux, par la puissance de sentir et elle se définit pour les hommes par la puissance de sentir ou de penser. La puissance se rattache à l'acte et ce qu'il y a de plus haut réside dans l'acte. Vivre, c'est donc, au sens premier, sentir ou penser. Et vivre est au nombre de ce qui est bien en soi et donne du plaisir en soi. Le fait de vivre est en effet déterminé et ce qui est déterminé est de la nature du bien. Ce qui est bien de par sa nature est bien aussi pour l'honnête homme. C'est pour cette raison que cela est source de plaisir pour tous. Il ne faut adopter ni une vie mauvaise et corrompue ni une vie malheureuse car une vie de ce genre est indéterminée, de même que tout ce qui la caractérise. Mais la suite de l'ouvrage apportera des éclaircissements sur le malheur.

---

1. Théognis, 35.

Si vivre est un bien en soi et donne du plaisir en soi (il semble que tous désirent vivre et surtout les honnêtes hommes et les bienheureux car la vie est pour eux désirable au plus haut point et leur existence est bienheureuse), si celui qui voit sent qu'il voit et si celui qui entend sent qu'il entend, si celui qui marche sent qu'il marche, et si, pour tous les autres actes, il y a de la même façon quelque chose qui sent que nous sommes en acte et qui fait en sorte que nous sentions que nous sentons ou que nous pensions que nous pensons, si, en outre, sentir que nous sentons ou que nous pensons c'est sentir que nous sommes, (puisque être c'est sentir ou penser, on l'a dit) et si, enfin, sentir que l'on vit donne en soi du plaisir (c'est en effet par nature que la vie est un bien et sentir que l'on possède un bien en soi donne du plaisir) alors la vie est désirable et elle est désirable surtout pour les hommes de bien parce que, pour eux, être est bien et donne du plaisir (avoir conscience qu'ils ont ce qui est bien en soi leur donne du plaisir) et l'homme de valeur se comporte envers son ami comme envers lui-même (un ami est en effet un autre soi-même).

Le fait que l'ami existe est désirable de la même façon, ou à peu près, que le fait d'exister soi-même est désirable pour chacun. Le fait d'exister est désirable pour lui parce qu'il sent qu'il est lui-même bon et une telle sensation donne du plaisir par elle-même. Il faut donc aussi avoir conscience que son ami existe et cela se réalise lorsque l'on vit avec lui et lorsque l'on met en commun avec lui paroles et pensées. C'est dans ce sens que l'on dit « vivre ensemble » pour des hommes et non dans le sens que « vivre ensemble » a lorsqu'il s'agit de bestiaux, c'est-à-dire lorsqu'il s'agit simplement de paître dans le même lieu.

Si être est désirable en soi pour l'homme bienheureux parce que c'est par nature un bien et une source de plaisir, et si l'existence de l'ami l'est à peu près également, alors l'ami est au nombre de ce qui est désirable. Et ce qui est désirable pour lui, cela il doit l'avoir, ou bien cela lui manquera. L'homme heureux a donc besoin d'amis de valeur.

Chapitre 10
(1170 b 20 - 1171 a 20)

Faut-il donc se faire le plus d'amis possible ? Ou bien ce que l'on dit
à juste titre de l'hospitalité, à savoir qu' « il ne faut avoir ni beaucoup
d'hôtes, ni aucun hôte[1] », est-il également adapté à l'amitié, si bien
qu' « il ne faut ni être ni sans amis ni avoir trop d'amis » ?

Cette maxime semblerait tout à fait convenir aux amis que l'on
fréquente pour leur utilité. S'acquitter envers de nombreuses personnes
des services qu'elles nous ont rendus est en effet bien difficile. Une vie
entière n'y suffirait pas. Les amis qui viennent en plus de ce qui est
suffisant pour vivre convenablement sont superflus et constituent une
entrave à la vie belle et heureuse. Quant aux amis que l'on recherche
pour le plaisir, un petit nombre doit suffire, de la même façon que, dans
la nourriture, peu d'assaisonnement suffit. Doit-on avoir pour amis le
plus grand nombre possible d'hommes de valeur ? Ou bien existe-t-il
une juste mesure pour déterminer le nombre des amis que l'on doit
avoir, de même qu'il existe une juste mesure pour fixer le nombre
d'habitants qu'une cité doit avoir ? En effet, dix hommes ne font pas
une cité et cent mille hommes ne peuvent plus constituer une cité. La
quantité requise en ce cas n'est sans doute pas un nombre fixe, mais un
nombre compris entre deux limites déterminées.

Le nombre d'amis qu'il faut avoir est déterminé de la même façon. Il
est sans doute égal au nombre maximal de personnes avec lesquelles
chacun est capable de vivre. Vivre ensemble est en effet ce qui
caractérise le mieux l'amitié. Or, il est évidemment impossible de vivre
avec beaucoup de personnes et de se partager soi-même entre toutes
ces personnes. Il faut de surcroît qu'elle soient toutes amies entre elles,
si elles doivent passer leur temps ensemble. Or il est bien difficile que
cela soit le cas entre de nombreuses personnes.

Partager réellement les joies et les peines d'un grand nombre de
personnes est également fort ardu car on sera probablement amené au
même moment à partager les joies d'une personne et à partager les
peines d'une autre. En conséquence, il est sans doute bien de ne pas
chercher à avoir le plus grand nombre d'amis possible, mais seulement

---

1. Hésiode, *Les travaux et les jours*, vers 715.

un nombre d'amis suffisant pour vivre ensemble. Il ne paraît pas non plus possible d'avoir une vive amitié pour un grand nombre de personnes. C'est pour cette raison qu'il est impossible de s'éprendre de plusieurs personnes. L'amour a en effet tendance à être une certaine exacerbation de l'amitié et une telle affection s'adresse à une seule personne. De la même façon, on a une vive amitié seulement pour un petit nombre de personnes.

Il semble bien en être ainsi dans les faits. L'amitié entre camarades ne rassemble qu'un petit nombre d'amis et les amitiés chantées par les poètes unissent seulement deux personnes. Ceux qui ont beaucoup d'amis et qui sont liés familièrement avec tout le monde semblent n'être les amis de personne, sauf dans un sens politique, et on les qualifie de complaisants. D'un point de vue politique, il est en effet possible d'avoir beaucoup d'amis sans être complaisant et en étant vraiment honnête. Mais il n'est pas possible d'avoir pour de nombreuses personnes une amitié qui repose sur ce qu'elles sont en elles-mêmes et sur la vertu. On doit donc s'estimer heureux lorsque l'on a découvert quelques amis de ce genre.

Chapitre 11
(1171 a 21 – 1171 b 26)

Avons-nous plus besoin d'amis dans le bonheur ou dans le malheur ?

Dans un cas comme dans l'autre, on cherche en effet des amis. Les hommes en butte au malheur ont besoin d'aide et les hommes heureux ont besoin de compagnons pour vivre avec eux ainsi que de personnes auxquelles ils pourront faire du bien. Ils veulent bien agir. L'amitié est certes plus nécessaire dans le malheur car, dans ce cas, on a besoin d'amis utiles, mais elle est plus belle dans le bonheur car on cherche alors des hommes de biens. Il est préférable de faire du bien à de tels hommes et de vivre avec eux. Mais, dans le bonheur comme dans le malheur, la présence d'amis donne en elle-même du plaisir. Partager ses peines avec ses amis allège en effet le sort des malheureux. C'est pourquoi il est bien difficile de trancher la question suivante : les amis des malheureux prennent-ils à leur charge une partie de leur fardeau ?

Ou bien la simple présence de leurs amis donne-t-elle du plaisir aux malheureux et la pensée que leurs amis ont de la compassion pour eux diminue-t-elle leurs peines ? Peu importe que les hommes dans le malheur ressentent du soulagement pour cette raison ou pour une autre, car il se produit bel et bien ce que l'on a décrit.

La présence d'amis semble un mélange de tout cela. Voir ses amis donne en soi-même du plaisir, surtout au malheureux, et constitue une sorte de secours contre l'affliction. Par sa présence et par ses mots, l'ami peut nous consoler s'il est homme de tact car il connaît notre caractère et sait ce qui lui donne du plaisir et ce qui l'afflige. Il est toutefois pénible de sentir que notre ami s'afflige de nos malheurs. Tout un chacun évite donc d'être cause d'affliction pour ses amis. C'est pourquoi les hommes courageux prennent garde de ne pas partager leurs peines avec leurs amis. De plus, s'ils ne sont pas parfaitement insensibles à la peine, ils ne supportent pas la peine qu'ils font à leurs amis et ne tolèrent pas qu'on les plaignent parce qu'eux-mêmes ne se plaignent jamais. Au contraire, les hommes qui ont de l'amitié envers les personnes qui les plaignent parce qu'elles sont pour eux des compagnons d'infortune sont de véritables femmelettes. Il est évident qu'il faut prendre pour modèle l'homme le meilleur en tout.

Dans le bonheur, la présence d'amis offre des distractions pleines de plaisir et suscite l'idée qu'ils prennent plaisir aux biens dont nous jouissons. C'est pourquoi il faut inviter de bon cœur nos amis à partager notre bonheur (il est en effet noble de les combler de bienfaits) mais il faut hésiter à leur faire partager nos malheurs. Nous devons en effet associer le moins possible les autres à nos maux. De là vient le proverbe « c'est assez de ma propre infortune ». Il faut demander de l'aide à ses amis avant tout lorsque cela leur cause peu d'inquiétude et qu'ils peuvent nous être grandement utiles. Mais, inversement, il convient que nous leur portions leur secours de bon cœur et sans qu'ils aient besoin de nous le demander (c'est en effet le propre d'un ami que de faire du bien à son ami, surtout lorsque celui-ci est dans le besoin et qu'il n'a pas demandé d'aide). Lorsque nos amis sont heureux, nous devons concourir à leur bonheur de grand cœur en participant à leur félicité (on a en effet aussi besoin d'amis dans ce cas) mais nous ne devons mettre aucune hâte à recevoir des bienfaits de nos amis car il n'est pas très noble de montrer de l'ardeur à se faire aider. Pourtant, il faut sans doute se garder d'acquérir une réputation de grossièreté en refusant leurs bons offices, comme cela arrive parfois. La présence d'amis est donc manifestement désirable dans tous les cas.

Chapitre 12
(1171 b 27 - 1172 a 15)

Pour ceux qui aiment, voir l'être qu'ils aiment est ce qu'il y a de plus désirable. Il préfèrent même cette sensation à toutes les autres parce que leur amour est né d'elle et repose avant tout sur elle. De la même façon, vivre ensemble n'est-il pas ce qu'il y a de plus désirable pour des amis ? L'amitié est en effet une communauté et l'on entretient avec son ami les mêmes rapports qu'avec soi-même. On désire sentir que l'on existe soi-même et on désire sentir que son ami existe. L'amitié s'actualise dans le fait de vivre ensemble, de telle sorte que, selon toute vraisemblance, les amis désirent cela.

Ce que vivre veut dire pour chacun des amis ou ce pour quoi ils désirent vivre, c'est à cela que les amis veulent passer leur temps ensemble. C'est pourquoi certains festoient ensemble, certains jouent aux dés ensemble et d'autres chassent et font du sport ensemble ou bien philosophent ensemble. Ainsi, tous les amis passent leur journée ensemble à faire ce qu'ils aiment le plus dans la vie. En effet, comme ils veulent vivre avec leurs amis, ils font tout cela et prennent part à ce qu'ils estiment être vivre ensemble.

L'amitié des hommes de peu est vile. Ils s'associent avec des hommes vils parce qu'ils sont instables et ils s'avilissent mutuellement en s'imitant les uns les autres. L'amitié des hommes de bien est au contraire honnête et s'accroît à mesure qu'ils deviennent intimes. Les hommes de bien semblent également devenir meilleurs en s'actualisant et en se corrigeant les uns les autres. Ils s'impriment mutuellement les qualités qu'ils prisent. De là vient le proverbe « des gens de bien viennent les bonnes leçons[1] ». C'est tout ce que l'on dira concernant l'amitié.

---

1. Théognis, 35.

Commentaire

I. Pourquoi étudier l'amitié ?
(Livre VIII, chapitre 1, 1155 a 1 – 31)

Lorsqu'on ouvre le livre VIII de l'*Éthique à Nicomaque*, on se trouve au début de l'étude qu'Aristote consacre à l'amitié, mais on aborde aussi une suite, car ces chapitres prennent place dans un ouvrage plus vaste. Quelle méthode Aristote adopte-t-il ? Continue-t-il son traité sans signaler qu'il passe maintenant à un objet particulier ? Ou bien rompt-il le cours de son ouvrage pour souligner l'originalité de ce qui suit par rapport à ce qui précède ? Il ne fait ni l'un ni l'autre, mais entre de plain-pied dans son sujet et montre pour quelles raisons il a choisi d'étudier l'amitié et de l'inclure dans un traité d'éthique. Pour justifier son choix, Aristote produit cinq arguments :

1) L'amitié est une vertu ou du moins est solidaire de la vertu.

2) L'amitié est nécessaire à la vie au sens où elle lui est utile.

3) L'amitié est nécessaire au sens où les êtres vivants ne peuvent pas ne pas avoir de l'amitié pour leurs congénères.

4) L'amitié est la condition de possibilité de la vie politique.

5) L'amitié est belle.

Reste à mettre en évidence pourquoi une telle argumentation est nécessaire. Consacrer une étude éthique à l'amitié ne va pas de soi, surtout pour un lecteur moderne. Si la morale consiste à définir de façon universelle ce qu'il faut faire et ce qu'il ne faut pas faire et si l'amitié est un lien affectif qui dépend des circonstances et de la personnalité de chacun, on voit mal comment l'amitié pourrait faire l'objet de considérations morales universelles. Il serait vain de chercher à établir des règles universelles et absolues du type : « sois ami avec telles personnes » ou « refuse ton amitié à telles autres ». L'argumentation du premier chapitre est donc nécessaire pour montrer quels liens entretiennent l'amitié et la philosophie morale.

1) L'étude de l'amitié fait partie de l'éthique parce que l'amitié est liée à la vertu

Aristote assigne à l'éthique un objectif différent de celui qui lui est couramment donné. La morale aristotélicienne n'a pas pour fin ultime de chercher quels sont nos devoirs. Elle a pour but de déterminer en quoi consiste le bonheur humain et de trouver par quels moyens les hommes peuvent y parvenir. Les règles morales sont des instruments pour atteindre le bonheur. Or, l'exercice de la vertu ou de l'excellence (ces termes n'en sont qu'un seul en grec : *arètè*) est précisément ce qui permet d'être heureux. C'est ce qu'a montré le livre I de l'*Éthique à Nicomaque*. Pour justifier l'inclusion de l'amitié dans l'éthique, Aristote affirme donc que l'amitié est une vertu ou est du moins solidaire de la vertu. On remarque qu'il ne précise pas la nature exacte du lien unissant vertu et amitié et qu'il ne démontre pas cette assertion. Il se contente de souligner que la présence d'un ami incite certains à se conduire noblement.

2) L'étude de l'amitié fait partie de l'éthique parce que l'amitié est nécessaire à la vie

Mais il convient de préciser à grands traits ce qu'Aristote entend par « bonheur ». Pour un homme, être heureux, c'est vivre en accomplissant sa nature de façon excellente, c'est-à-dire vertueusement. La première condition du bonheur est donc de vivre. Or, l'amitié est nécessaire pour vivre. Avoir des amis est en effet indispensable, lorsque l'on est prospère, pour préserver les biens que l'on possède ou le pouvoir que l'on a. Avoir des amis est également indispensable lorsque l'on est malheureux ou en difficulté. Être heureux, voilà le but de l'éthique. Or, pour être heureux, des amis sont nécessaires. C'est pourquoi l'amitié doit faire l'objet d'une étude éthique.

3) L'étude de l'amitié fait partie de l'éthique parce que l'amitié est une propriété biologique

Si l'amitié est utile à la vie, il ne faut pas en conclure que la vie sans amitié est pénible, mais possible. L'amitié est nécessaire à la vie au sens où tout être vivant entretient inéluctablement des liens d'amitié avec certains autres êtres vivants. Aristote utilise ici des arguments biologiques tirés de ses propres études du comportement des êtres vivants, et notamment de son traité *Histoire des animaux*. En un mot, la vie humaine heureuse est l'objet de l'éthique et l'amitié est une nécessité naturelle de la vie humaine, il faut donc inclure l'étude de l'amitié dans l'éthique.

4) L'étude de l'amitié fait partie de l'éthique parce que l'amitié est la condition de possibilité de la vie en cité

Il ne suffit pourtant pas de vivre pour être heureux. Pour vivre heureux, c'est-à-dire pour actualiser toutes ses potentialités et donc pour vivre excellemment, il est indispensable de vivre avec d'autres hommes dans une cité. C'est ce qui résulte des considérations anthropologiques des premiers livres de l'*Éthique à Nicomaque* et de la *Politique*. Or, la vie politique a pour condition de possibilité l'amitié. La preuve en est fournie par le fait que tous les législateurs cherchent à instaurer la concorde dans la cité, concorde qui est un type d'amitié. Une objection, reprise notamment par Hobbes dans le *Léviathan*, pourrait être formulée contre cet argument : les législateurs ne visent pas l'amitié mais seulement la justice. Les relations entre l'amitié et la justice (justice qui été analysée au livre V de l'*Éthique à Nicomaque*) seront étudiées en détail tout au long de l'étude sur l'amitié. Mais on peut d'ores et déjà souligner que l'amitié dépasse la vertu de justice en excellence politique puisque, lorsque l'amitié règne dans une cité, la justice n'est plus nécessaire alors que, lorsque la justice règne dans une cité, l'amitié fait encore défaut. La vie heureuse qui fait l'objet de l'éthique n'est possible que dans une cité. Or, les cités se dissolvent si leurs citoyens ne sont pas unis par l'amitié. Voilà une raison supplémentaire pour accorder à l'amitié une place centrale dans l'éthique.

5) L'étude de l'amitié fait partie de l'éthique parce que l'amitié est belle

Cet argument peut apparaître comme l'un des plus surprenants. Qu'importe en effet la beauté d'une action pour juger sa valeur morale ? Il faut préciser que le terme « beau » signifie ici tout à la fois « noble », « admirable », « louable » et « bon ». Pour Aristote, comme pour la société grecque de cette époque, une vie humaine sans honneurs ne peut être heureuse et une action qui ne serait pas admirable ne peut être vertueuse. Que l'amitié soit belle et qu'elle incite à de belles actions est donc une solide raison pour inclure l'amitié dans un propos sur la vertu et le bonheur.

Voilà donc dissipée une première source d'incompréhension ou de surprise : l'amitié est un objet d'étude pour l'éthique parce qu'Aristote donne à la notion d'éthique un sens particulier. Mais, paradoxalement, une difficulté surgit de la solution même qu'apporte Aristote au problème du statut éthique de l'amitié. Aristote donne au terme d'amitié une signification très large. L'amitié paraît en effet être partout présente, même là où on ne l'attend pas : dans les liens unissant enfants et parents, dans les rapports qu'entretiennent les animaux d'une même espèce ou encore dans les relations entre concitoyens. Cette extension de l'amitié nous surprend comme elle surprenait Michel de Montaigne[1]. Pour lui, entre enfants et parents il s'agit de respect plutôt que d'amitié. De même, la concorde politique est, à nos yeux comme à ceux de Hobbes, très différente de l'amitié. Le concept de d'amitié, *philia* en grec, possède une extension très vaste. Sa compréhension est donc différente de celle que possède actuellement le terme d'amitié. Les chapitres 2 à 5 ont précisément pour fonction de préciser la nature de l'amitié et de justifier le sens très vaste de ce concept.

---

1. *Essais*, livre I, chapitre 28, « De l'amitié ».

II. Qu'est-ce que l'amitié ?
(Livre VIII, chapitre 2, 1155 a 32 - 1156 a 35)

Pour déterminer la nature de l'amitié, Aristote utilise trois méthodes successives :

1) *une méthode diaporématique et dialectique*, selon laquelle, pour connaître ce qu'est l'amitié, il est nécessaire de savoir ce qu'on en dit habituellement.

2) *la méthode causale*, selon laquelle, pour connaître la nature de l'amitié, il convient de connaître sa cause.

3) *la méthode négative*, selon laquelle, pour savoir ce qu'est l'amitié, il faut savoir ce qu'elle n'est pas.

1) Pour connaître ce qu'est l'amitié, il faut savoir ce qu'on en dit (VIII, 2, 1155 a 32 - 1155 b 16)

A) Les opinions courantes concernant l'amitié

La méthode diaporématique consiste à repérer les difficultés apparemment insolubles (apories) que l'on rencontre dans l'étude d'un objet puis à déterminer quelles sont les thèses en présence et à mettre en évidence l'argumentation qui sous-tend chacune d'elles. En un mot, on développe l'aporie (*diaporeo*). Enfin, on propose une solution aux apories (*euporie*) en récusant ou en dépassant les différentes argumentations. La méthode dialectique se caractérise, chez Aristote, par son point de départ. Comme base d'une discussion, on prend des opinions admises par le sens commun ou par des hommes célèbres.

Aristote combine ici ces deux méthodes pour étudier l'amitié. Il rassemble et résume toutes les thèses en présence et les groupe en deux grandes options. Les uns pensent que l'amitié est l'affection qui lie deux êtres semblables, les autres que l'amitié est l'affection qui lie deux êtres dissemblables et complémentaires. Les sources de ces deux thèses sont très variées. Aristote fait référence aussi bien à des proverbes populaires (« qui se ressemble s'assemble ») qu'à un poète tragique (Euripide) et à des philosophes-physiciens (Héraclite et Empédocle). Cette cohabitation peut surprendre dans un texte philosophique. Les dictons et les poètes sont en effet des sources apparemment peu rigoureuses. Leur présence s'explique par la nature de l'objet étudié. En éthique, l'absolue précision est en effet impossible à atteindre, il est donc bien souvent nécessaire de partir d'approximations et d'idées reçues.

B) La rupture d'Aristote avec ses prédécesseurs à propos de l'amitié

La combinaison de la méthode dialectique et de la méthode diaporématique aboutit à un résultant essentiellement négatif. Aristote récuse les deux opinions couramment admises sur l'amitié. Selon lui, elles donnent à l'amitié un domaine d'extension trop général puisqu'elles tirent leurs argumentations opposées d'observations physiques. Empédocle érige l'amitié basée sur la ressemblance en principe cosmique et Héraclite fait de même pour l'amitié fondée sur l'opposition et la complémentarité. De façon inattendue, Aristote, loin de donner à la notion grecque de *philia* une grande extension, reproche à ses prédécesseurs de n'avoir pas limité leur conception de l'amitié à la sphère humaine. Lorsque Aristote déclare ne s'intéresser en éthique qu'aux phénomènes humains, il impose donc à la discussion sur l'amitié une restriction très importante par rapport à ses prédécesseurs. Il s'oppose ainsi non seulement à Empédocle et à Héraclite mais aussi à Platon qui, dans le *Lysis*, donne lui aussi à l'amitié une signification cosmique et pas seulement humaine. La méthode diaporématique et dialectique conduit à reformuler la question de la nature de l'amitié. Il ne convient pas de commencer l'étude de l'amitié en posant la question « l'amitié est-elle une ressemblance ou une complémentarité ? », il faut d'abord résoudre des problèmes plus circonscrits : « l'homme mauvais est-il capable d'amitié » ou « y a-t-il une seule amitié ou bien y a-t-il plusieurs espèces d'amitié ? » Aristote ne répond pas immédiatement à ces questions, pas plus qu'il ne tranche le débat entre partisans de l'amitié-ressemblance et tenants de l'amitié-complémentarité. Pour résoudre ces problèmes, il faut auparavant connaître la nature de l'amitié. Tout l'enjeu de ce chapitre est de trouver une méthode qui permette de trouver une réponse positive à la question : « qu'est-ce que l'amitié ? »

2) Pour connaître la nature de l'amitié, il faut connaître sa cause (VIII, 2, 1155 b 17 - 26)

A) Ce qui suscite l'amitié : l'aimable

Pour connaître la nature de l'amitié, Aristote emprunte à la science la méthode causale : connaître scientifiquement une chose, c'est connaître sa cause. Autrement dit, pour connaître la nature de l'amitié, il faut connaître ce qui la fait naître. Or, ce qui suscite l'amitié (*philia*), c'est « aimable » (*philètos*), autrement dit ce qui est susceptible d'inspirer de l'amitié.

B) Les trois grands genres de ce qui est aimable : le bien, le plaisir, l'utile

Aristote dénombre trois genres de choses aimables, c'est-à-dire trois causes d'amitié : ce qui est bien, ce qui donne du plaisir et ce qui est utile. Il réserve à cette dernière cause d'amitié un statut différent : ce qui est utile suscite notre amitié mais ne constitue pas le but de notre amitié. L'utile est aimé seulement parce qu'il permet de se procurer un autre bien. Et seul ce dernier bien est pour notre amitié un but en lui-même. Cette tripartition des causes d'amitié est fondamentale. Elle donne tout d'abord le premier élément d'une définition de l'amitié : l'amitié est une affection qui a pour objet soit ce qui est bien, soit ce qui donne du plaisir, soit ce qui est utile. De plus, cette tripartition introduit des spécifications au sein de la très large notion d'amitié. Si l'amitié a apparemment une extension plus large dans la pensée d'Aristote que dans la langue française contemporaine, néanmoins, l'amitié n'a pas, pour Aristote, une source unique. La *philia* n'est donc pas une notion monolithique qui confondrait sous un seul terme des relations aussi différentes que les rapports familiaux et les relations politiques, entre autres.

3) Pour savoir ce qu'est l'amitié il faut savoir ce qu'elle n'est pas (VIII, 2, 1155 b 26 – 1156 a 5)

Une fois les trois causes de l'amitié isolées, Aristote met en évidence les différences qui séparent l'amitié des autres « affections suscitées par ce qui est bien, utile ou plaisant ».

A) L'amitié n'est pas une affection unilatérale et ne consiste pas à vouloir du bien à une personne pour soi-même

Le lecteur moderne s'attendrait à une première opposition entre amour et amitié. Mais Aristote ne procède pas à cette distinction, il recourt à d'autres notions pour caractériser l'amitié par différenciation. Il distingue en effet l'amitié de l'affection unilatérale, d'une part, et de la bienveillance, d'autre part. Ce choix est justifié par deux raisons. Premièrement, Aristote n'oppose pas amour et amitié parce que l'amour (qu'il soit conjugal ou non, hétérosexuel ou homosexuel) est pour lui une espèce de l'amitié. Deuxièmement, ce qui distingue l'amitié, d'une part, de l'affection unilatérale et de la bienveillance, d'autre part, est crucial pour comprendre ce qu'est l'amitié. L'amitié possède en effet deux caractéristiques qui font défaut à l'affection unilatérale : la réciprocité et le fait de vouloir du bien à une personne pour cette personne elle-même. L'exemple de l'affection unilatérale choisi par Aristote montre *a contrario*, ce qu'est l'amitié. L'affection que l'on a pour un vin n'est pas amicale parce que l'on ne veut pas du bien à un vin pour ce vin lui-même et parce que cette affection ne peut être réciproque. Nous voici donc en possession d'une caractéristique supplémentaire de l'amitié : nous sommes amis d'une personne si nous sommes liés à elle par une affection réciproque et si nous voulons du bien à cette personne pour cette personne elle-même et non dans notre propre intérêt. La caractérisation de l'amitié comme affection réciproque est une thèse importante dans le débat sur la nature de l'amitié. Cette thèse réduit en effet à nouveau l'extension de la notion d'amitié : toute affection n'est pas de l'amitié.

B) L'amitié ne consiste pas dans une affection ressentie mais dans une affection manifestée

Aristote se fait alors à lui-même une objection : selon cette définition, il suffirait de se vouloir mutuellement du bien pour être amis. Pourtant, de nombreuses personnes sont dans ce cas, sans même se connaître. Si l'on s'en tenait à cette conception de l'amitié, quelle serait la différence entre la bienveillance et l'amitié ? Cette opposition conceptuelle entre amitié et bienveillance permet à Aristote d'ajouter une caractéristique à sa définition de l'amitié. En plus d'être une affection humaine réciproque consistant à faire et à vouloir du bien à une personne pour elle-même, l'amitié est une affection qui doit être connue de ceux qu'elle lie. Nous sommes ici aux antipodes d'une morale fondée sur l'intention ou les sentiments. Pour être amis, il ne suffit pas de ressentir de l'amitié pour quelqu'un, il faut manifester cette affection en acte.

Les résultats de la méthode négative, combinés à ceux de la méthode causale, nous mettent en possession d'une définition très générale de l'amitié : l'amitié est une affection réciproque et manifeste qui consiste à vouloir du bien à une personne pour cette personne elle-même parce que cette personne soit nous est utile, soit nous donne du plaisir, soit est moralement bonne. Si, par contraste avec les définitions très larges de Platon et d'Empédocle, Aristote réduit considérablement l'extension de l'amitié, la notion d'amitié couvre néanmoins un ensemble d'affections très différentes. L'affection entre parents et enfants, celle qui unit des amants et celle qui peut exister entre concitoyens ou entre les membres d'une association sportive ou religieuse sont toutes rangées sous le même terme d'amitié. On peut donc objecter à Aristote que les résultats de ses méthodes causale et négative sont encore trop imprécis et qu'il faut à nouveau restreindre le champ d'extension de l'amitié.

III. Quelles sont les différentes formes d'amitié ?
(Livre VIII, chapitres 3 à 8, 1156 a 6 - 1158 b 10)

1) L'amitié est une, mais il y a plusieurs formes d'amitié (VIII, 3, 1156 a 6 - 1156 a 10)

La solution retenue par Aristote n'est ni de réserver le terme d'amitié à l'une des affections encore en lice, ni à placer sur le même plan toutes les affections qu'il range encore sous la notion d'amitié (amour, amitié, fraternité, solidarité, complicité, liens familiaux). Le terme d'amitié conserve une vaste extension. Mais cela n'empêche pas Aristote de souligner fortement les différences entre les types d'affection. Pour ce faire, il reprend l'une des questions auxquelles la méthode diaporématique avait abouti : entre les différentes affections que l'on appelle « amitié », y a-t-il des différences de degré, des différences d'espèce, ou des différences d'essence ? Cette question peut recevoir trois réponses différentes :

• soit on suit l'usage de la langue française contemporaine. L'amitié serait alors un type très particulier d'affection très différent de l'amour et de l'affection familiale, par exemple. Il y aurait donc une différence d'essence entre l'amitié et les autres types d'affection.

• soit on considère que toutes ces affections ont une essence commune et qu'elles diffèrent seulement par degré. Ainsi, toutes ces affections auraient fondamentalement la même nature mais certaines seraient plus puissantes que d'autres. Par exemple, l'amitié entre amants serait plus forte que l'amitié entre camarades.

• soit enfin on considère que le terme d'amitié recouvre des affections qui ont des natures différentes mais qui possèdent des caractéristiques communes. C'est cette solution qu'Aristote retient. Il doit donc expliquer à la fois ce qui distingue les amitiés les unes des autres et ce qui les unit.

2) Certaines amitiés sont des amitiés par accident...
(VIII, 3, 1156 a 10 - 1156 b 6)

En distinguant trois grandes formes d'amitié (amitié reposant sur l'utile, amitié reposant sur le plaisir et amitié reposant sur le bien) Aristote affirme que l'amitié possède une certaine unité malgré les différences évidentes qui séparent ces différentes affections. Mais il énonce en même temps une autre thèse qui peut sembler contredire la première. Il soutient en effet que deux amitiés (l'amitié reposant sur l'utile et l'amitié reposant sur le plaisir) sont seulement des amitiés par accident. Or si les trois formes d'amitiés ont en commun des caractéristiques essentielles, pourquoi certaines d'entre elles sont-elles seulement des amitiés par accident ? Aristote ne remet-il pas en cause l'unité de l'amitié ? Faut-il donc penser que l'amitié n'est pas un genre commun qui se divise en trois espèces et qu'il y a, d'une part, une amitié véritable et, d'autre part, des amitiés qui sont amitiés seulement par accident ? Toute la question est donc de comprendre comment la division des amitiés en amitiés accidentelles et amitié véritable peut s'accorder avec la tripartition de l'amitié selon le plaisir, l'utile et le bien.

Pour résoudre ce problème, il faut préciser ce que signifie l'expression « amitié par accident ». La différence entre « être par accident » et « être par soi » est une distinction ontologique, autrement dit, elle concerne l'être en général. Un accident est une propriété qui n'appartient ni toujours ni nécessairement à un être. Autrement dit, parmi les caractéristiques d'un être, celles qui peuvent aussi bien lui appartenir et ne pas lui appartenir sont des accidents. Par exemple, un homme peut pâlir en raison d'une émotion ou d'une maladie. Mais la pâleur n'est pas une caractéristique de l'essence humaine. Au contraire, tout homme possède la faculté du langage. Cette propriété appartient nécessairement à tout homme. Ainsi le langage n'est pas une caractéristique accidentelle de l'homme mais une caractéristique nécessaire (elle ne peut pas ne pas lui appartenir), essentielle (elle fait partie de son essence). En un mot, l'homme possède par soi cette caractéristique.

L'expression « amitié par accident » désigne donc la forme d'amitié où l'on a de l'affection pour une personne parce qu'elle possède certaines qualités accidentelles. Par exemple, dans l'homme d'esprit ou dans l'homme utile, nous aimons non pas la personne elle-même mais sa capacité à nous divertir ou à nous rendre service. Il s'agit là d'accidents, car la capacité de plaire à quelqu'un ou de lui rendre des services utiles est passagère et varie avec les circonstances. Reste à savoir si une affection peut être fondée sur les caractéristiques essentielles d'une personne. S'il est possible d'avoir de l'amitié pour une personne en raison de ce qu'elle est essentiellement, alors, on pourra opposer à l'amitié par accident une amitié par soi, autrement dit une amitié nécessaire.

La typologie des espèces d'amitié est fondée sur une distinction ontologique entre propriété accidentelle et propriété essentielle. Mais Aristote ne s'en tient pas à des classifications générales et ontologiques. Son éthique a pour objet les affects des hommes et a pour but leur bonheur. Aristote tire donc immédiatement une conséquence pratique de la notion d'amitié par accident. Comme les amitiés reposant sur le plaisir ou sur l'utile dépendent de propriétés accidentelles, leur existence tient à des qualités passagères. En conséquence, de telles amitiés se dissolvent dès que les caractéristiques accidentelles qui suscitaient l'amitié n'appartiennent plus à l'ami. Or, ceci est fréquent puisque l'accident est par définition instable et passager. L'analyse ontologique de l'amitié met en évidence un point important concernant l'amitié : sa durée dépend de la raison pour laquelle elle est apparue. Plus les qualités qu'on apprécie chez une personne sont accidentelles moins l'amitié qu'on a pour elle durera.

Cette conclusion trouve son illustration dans une classification des personnes qui éprouvent ces différentes amitiés. Les personnes qui sont liées par des amitiés qui reposent sur l'utile sont le plus souvent des vieillards ou des personnes éprises de profit. Les personnes qui sont liées par des amitiés reposant sur le plaisir sont plutôt les jeunes. Même si ces considérations peuvent apparaître comme des clichés, deux éléments importants émergent de cette typologie. D'une part, l'éthique aristotélicienne n'édicte pas des règles abstraites et universelles, elle rend compte des comportements humains particuliers. C'est pour cette raison qu'Aristote compose des « portraits-types » et des « caractères ». D'autre part, l'éthique est toujours plus imprécise que les sciences de la nature. Dans la sphère humaine, des lois universelles ne peuvent pas rendre compte de tous les cas particuliers. Des circonstances singulières viennent toujours contredire les règles morales générales. Il ne faut pourtant pas renoncer à tout effort de généralisation. Ainsi, Aristote est bien conscient que tous les vieillards ne sont pas cupides et que tous les jeunes gens ne sont pas des jouisseurs. C'est pour cette raison qu'il limite lui-même la portée de son propos.

En un mot, les amitiés fondées sur le plaisir ou sur l'intérêt sont accidentelles en raison de leur objet. Reste donc à montrer qu'une amitié ayant pour objet des caractéristiques plus essentielles est possible.

3) ... Mais il y a une amitié par soi, l'amitié parfaite (VIII, 4, 1156 b 6 - 32)

A) L'amitié par soi

Aristote oppose aux amitiés par accident l'amitié entre hommes de bien et il proclame celle-ci supérieure à celles-là. Cette position soulève deux difficultés. D'une part, en quoi l'amitié entre hommes de bien diffère-t-elle des amitiés par accident ? D'autre part, si cette forme d'amitié est nettement supérieure aux autres, pourquoi continuer à donner un même nom à toutes ces affections ?

Les hommes de bien auxquels se réfère Aristote pour définir cette forme d'amitié sont ceux qui vivent de façon vertueuse, c'est-à-dire qui agissent de façon juste, courageuse, tempérante ou prudente. Toutes ces vertus, courage, justice, tempérance ou prudence, ont déjà été analysées par Aristote dans les livres précédents de l'*Éthique à Nicomaque*. Peu importent ici leurs définitions respectives. En revanche, la définition de la vertu en général est capitale : la vertu est en effet une disposition de la volonté, c'est-à-dire une faculté constante et essentielle. Lorsqu'elle est actualisée dans l'homme de bien, elle lui appartient nécessairement, elle n'est donc pas un accident. L'amitié qui repose sur le bien est l'amitié que l'on a pour un homme de bien ou plus exactement que l'on a pour la vertu d'un homme, c'est-à-dire pour une disposition permanente, nécessaire et essentielle de cet homme.

B) Les caractéristiques de l'amitié entre hommes de bien : durabilité, similitude et perfection

Identifier l'amitié par soi à l'amitié entre hommes de bien a deux conséquences essentielles. D'une part, la durée de cette amitié est plus longue. La durée d'une amitié dépend en effet de la stabilité de la cause de l'amitié. Or, les hommes de bien sont amis en vertu d'une caractéristique stable. Leur amitié est donc durable. D'autre part, le débat entre partisans de l'amitié-ressemblance et tenants de l'amitié-complémentarité trouve ici une issue. L'amitié qui repose sur le bien est fondée sur la similitude entre amis. Les hommes de biens sont en effet amis lorsqu'ils sont aussi vertueux les uns que les autres et lorsqu'ils ont les mêmes vertus. C'est la source même de leur amitié. Leurs volontés et leurs actes sont eux aussi semblables. En effet, la vertu est une disposition de la volonté. Et l'amitié est une affection réciproque et manifeste qui consiste à vouloir du bien à une personne pour cette personne elle-même. Lorsqu'ils sont amis, les hommes vertueux se veulent donc du bien les uns aux autres de la même façon (ils veulent en effet que leurs amis soient vertueux) et au même degré. Ainsi l'amitié fondée sur le bien repose sur une similitude de disposition, de caractère, de volonté et d'action.

Cette complète similitude entre amis hommes de bien est la première raison pour laquelle Aristote considère cette amitié comme parfaite. Les amis y sont en effet identiques au plus haut point. Mais le qualificatif de parfait est attribué à cette amitié pour d'autres raisons encore. L'amitié entre hommes de bien est parfaite parce qu'elle repose sur la vertu, c'est-à-dire sur une disposition possédant une valeur absolue. L'homme vertueux est en effet bon absolument et pas seulement de façon relative. L'amitié entre hommes de biens est parfaite aussi parce qu'elle est fondée sur l'actualisation la plus complète de l'homme, l'action vertueuse. Cette amitié est parfaite parce qu'elle est bien plus durable que les autres amitiés. Enfin, elle est parfaite parce qu'elle comporte les autres caractéristiques de l'amitié.

Voici donc résolue la première question que suscitait la notion d'amitié entre hommes de biens, « en quoi l'amitié entre hommes de bien diffère-t-elle des amitiés par accident ? » La différence fondamentale tient au fait que, dans cette amitié, on apprécie une caractéristique non-accidentelle de son ami, la vertu. Reste donc à résoudre la deuxième difficulté : si seule l'amitié entre hommes de bien est parfaite, pourquoi continuer à appeler les amitiés par accident des « amitiés » ?

C) Une nouvelle conception de l'unité de l'amitié

L'amitié parfaite comporte des caractéristiques que les amitiés par accident possèdent, comme l'utilité et le plaisir. En effet, l'homme de bien veut et fait du bien à ses amis. Et le bien est à entendre ici aussi bien d'un point de vue moral que matériel. L'homme de bien rend donc des services à ses amis parce qu'il agit pour leur bien. Mais il est en outre pour eux source d'un autre bien, le plaisir. En effet le plaisir est donné par le fait de s'actualiser, Aristote l'a montré au livre VII de l'*Éthique à Nicomaque*. Or, voir les autres agir excellemment pousse à agir soi-même de façon excellente et donc à actualiser ses facultés. Ainsi, lorsque des personnes s'actualisent, elles donnent du plaisir à leurs amis. Elles sont de plus des sources constantes de plaisir puisqu'elles résultent d'une disposition permanente, la vertu.

L'amitié entre hommes de bien partage avec les amitiés par accident la caractéristique de consister à vouloir et à faire du bien à ses amis. Mais le bien que les amis se font dans l'amitié parfaite est supérieur au bien que se font les amis dans les amitiés par accident. D'une part, l'amitié entre hommes de bien comporte tous les biens alors que les amitiés par accident ne comportent qu'un seul type de bien. D'autre part, l'amitié entre hommes de bien procure tous les biens à un degré supérieur. En effet, l'homme de bien est utile et plaisant de façon absolue alors que le plaisir et les services utiles des amitiés accidentelles sont relatives aux personnes et aux circonstances. L'amitié entre hommes de bien est donc l'amitié parfaite ou l'amitié par excellence, parce qu'elle comporte la totalité des biens à un degré supérieur.

On rencontre ici une difficulté importante du texte d'Aristote. Dans un premier temps, les différentes affections réciproques, manifestes et consistant dans le fait de vouloir à une personne du bien pour cette personne elle-même ont été appelées « amitiés ». On s'est alors heurté au problème de leurs différences. Comment donner le même nom à des affections aussi hétérogènes que l'amour et la solidarité politique ? La solution avait été trouvée dans la division du genre « amitié » en différentes espèces. Mais maintenant que l'amitié reposant sur le bien a été analysée, le rapport entre les différentes affections amicales est brouillé. Auparavant, les différentes espèces d'amitié étaient placées sur le même plan, car elles étaient des espèces d'un même genre, l'amitié. Or, à présent, Aristote a isolé l'amitié par excellence des amitiés par accident. Quelle est donc la nature du lien qui unit toutes ces affections ? Autrement dit, l'amitié entre hommes de bien est-elle la seule affection véritablement digne d'être appelée « amitié » ?

Un autre problème se pose concernant l'amitié parfaite elle-même. Si la source de l'amitié parfaite est la vertu, un homme de bien sera ami avec tous les hommes de biens. Mais l'amitié ne sera alors plus une affection personnelle. Aristote répond à cette objection de la façon suivante : pour que l'amitié naisse entre deux personnes, il ne suffit pas de constater l'existence de la vertu en l'autre. Il faut aussi que des habitudes communes s'établissent entre les personnes afin que les amis connaissent et apprécient leurs caractères respectifs. En fait, cette communauté d'habitudes permet également aux amis d'acquérir des caractères similaires. L'amitié fondée sur le bien est également une affection pour le caractère de son ami dans son ensemble et pas seulement pour sa vertu.

On comprend ainsi que l'amitié ne peut faire l'objet d'une décision volontaire. Il ne faut pas supposer qu'il suffirait pour devenir amis de constater la vertu de l'autre et de décider que l'on devient son ami. Comme le temps, les caractères et les habitudes jouent un rôle déterminant pour l'éclosion de l'amitié, toute décision instantanée, toute volonté affichée d'être amis est vouée à l'échec et artificielle : « La volonté d'être amis naît rapidement, mais pas l'amitié ».

4) Les amitiés par accident se définissent par rapport à l'amitié parfaite (VIII, 5- 8, 1156 b 32 - 1158 b 10)

Les chapitres 5, 6 et 7 ont deux fonctions qui s'entrecroisent et se superposent. Le premier but d'Aristote est de comparer les différentes formes d'amitié afin d'en faire ressortir les différences. C'est au cours de cette succession de comparaison que, pour la première fois, Aristote analyse en détail ce type particulier d'amitié qu'est l'amour. Le deuxième objectif de ces chapitres est de mettre en évidence pourquoi toutes ces affections n'usurpent pas le titre d'amitié.

A) La fonction de la comparaison entre l'amitié parfaite et les amitiés reposant sur le plaisir et sur l'utile

Le concept d'amitié est hétérogène. Pour souligner cette hétérogénéité mais aussi pour tenter de la dépasser et de trouver des caractéristiques communes, Aristote procède par comparaison. Dans cette comparaison, l'amitié parfaite est toujours l'affection à laquelle les autres affections sont rapportées, car elle est l'amitié par excellence. Le principe d'unité de l'amitié se trouve donc dans la ressemblance avec l'amitié parfaite : plus une affection ressemble à l'amitié parfaite, plus elle est une amitié à proprement parler.

Pour comparer une affection à l'amitié par excellence, Aristote use de plusieurs critères, comme la durée de l'amitié, le caractère essentiel ou accidentel des qualités qui sont à l'origine de l'amitié ou encore la similitude entre amis. La solution au problème soulevé par l'hétérogénéité des sens de l'amitié consiste donc à ériger l'une des amitiés en référence exemplaire à laquelle les autres formes d'affection sont rapportées et comparées. De la sorte, Aristote refuse l'alternative du tout ou rien. Pour lui, il peut y avoir amitié même lorsque les hommes ne sont pas vertueux. Ainsi, il peut expliquer les complicités et les sympathies qui unissent les hommes moralement mauvais. Eux aussi sont capables d'amitié mais ils sont capables seulement d'une amitié basée sur l'échange de services utiles. On peut donc appeler amitiés les liens qui unissent des personnes sur le fondement de qualités accidentelles. L'amitié selon Aristote a tout à la fois un sens très large et extrêmement exigeant.

B) La question de l'amour

Au fil des comparaisons Aristote rencontre une affection particulière : l'amour. À la surprise du lecteur moderne, cette distinction n'est introduite qu'assez tard dans le traité sur l'amitié alors que l'opposition entre l'amour et l'amitié est à nos yeux la plus évidente. Nouvelle surprise, mais pour le lecteur platonicien cette fois, la comparaison de l'amour avec l'amitié entre hommes de bien ne conduit ni à l'identification de l'amour à la plus haute forme d'amitié ni à la supériorité de l'amour sur l'amitié entre hommes de bien. Aristote renverse ainsi le primat accordé à l'amour par Platon, dans le *Banquet*, notamment. Ce qui est premier et supérieur, c'est l'amitié entre hommes de biens. L'amour n'est pas l'amitié parfaite puisqu'elle diffère d'elle sur des points importants.

L'amour diffère de l'amitié par excellence tout d'abord par le fait que les amis ne sont pas identiques l'un à l'autre. En effet, pour décrire l'amour, Aristote reprend le schéma homosexuel de l'amour platonicien. Il est à noter toutefois que ces considérations peuvent être étendues à toutes les formes d'amitié érotique, c'est-à-dire amoureuse. Dans cette forme d'affection, chacun des amis a un nom, un statut et un plaisir différents. L'un est appelé « l'amant » et l'autre, « l'aimé ». L'un donne de l'affection alors que l'autre en reçoit. Enfin, le premier tire du plaisir de la contemplation du second alors que le second tire son plaisir des soins qu'il reçoit du premier. Dans l'amour tel qu'il est décrit ici, il y a dissemblance entre amis du point de vue du nom, de l'action et du plaisir. L'amour est donc une affection moins parfaite que l'amitié entre hommes de biens où les noms, les actions et les plaisirs sont identiques et égaux. C'est la dissymétrie des relations amoureuses qui est, aux yeux d'Aristote, un défaut par rapport à la parfaite symétrie de l'amitié fondée sur le bien.

L'amour n'est pour autant pas dénigré. Lui aussi est une amitié, mais une amitié d'une forme légèrement inférieure. Il ne lui est d'ailleurs pas impossible de combler ses lacunes et de devenir une amitié parfaite. Une fois la jeunesse de l'aimé disparue, et si les amants deviennent de caractères identiques à force de se fréquenter, la symétrie est rétablie et une amitié parfaite peut advenir entre eux. On est loin du schéma platonicien où l'amour philosophique, affection suprême, repose sur une dissymétrie entre maître et disciple.

C) Pluralité et hiérarchie des différents sens de l'amitié

L'amitié parfaite possède des caractéristiques que les autres formes d'amitié n'ont pas, du moins partiellement. C'est pour cette raison qu'elle a une place particulière. Elle constitue comme le foyer autour duquel tous les autres sens de l'amitié sont regroupés : l'amitié parfaite est le sens « focal » ou central de l'amitié. L'amitié parfaite n'est pas seulement l'amitié à titre principal, c'est également une norme à l'aune de laquelle Aristote évalue les différentes affections. Toutes ses caractéristiques constituent autant de critères d'évaluation. Outre sa longue durée et la similitude des amis qu'elle unit, l'amitié par excellence se signale par les caractéristiques suivantes :

• L'amitié parfaite est l'amitié en acte. En conséquence, l'amitié seulement en puissance est moins semblable à l'amitié parfaite. Ceux qui se prétendent amis sans rien faire l'un pour l'autre sont amis mais à un degré bien moindre que les hommes de biens.

• L'amitié parfaite suppose que les amis soient présents. En conséquence, l'absence fait que l'amitié est moins grande et moins parfaite car elle est moins actualisée et donc moins semblable à l'amitié parfaite.

• L'amitié parfaite exige que l'on vive avec ses amis, de sorte que ne pas vivre avec eux est constitutif d'une amitié inférieure car moins semblable à l'amitié au sens principal.

• L'amitié parfaite est source de joie. Les amitiés qui ne réjouissent pas ceux qu'elles unissent, celles des vieillards ou des esprits chagrins par exemple, sont des amitiés à un moindre degré que l'amitié entre hommes de bien.

• L'amitié parfaite unit peu de personnes alors que les amitiés qui reposent sur l'utile ou sur le plaisir peuvent réunir beaucoup de monde.

De la sorte, Aristote aboutit non seulement à une typologie mais aussi à une hiérarchie des amitiés. Par exemple, l'amitié qui repose sur le plaisir est plus proche de l'amitié parfaite que l'amitié reposant sur l'utile, car elle a plus de traits communs avec l'amitié au sens premier. Les amis qui sont liés par une amitié reposant sur le plaisir sont en effet plus semblables les uns aux autres. De plus, cette amitié rassemble moins de personnes. Elle est enfin plus libérale que l'amitié reposant sur l'utile car elle comporte moins de servilité, et est plus digne d'un homme libre.

En somme, pour rendre compte à la fois de la diversité des affections et de l'unité de l'amitié Aristote élabore une construction conceptuelle complexe. L'amitié parfaite est l'amitié par excellence, l'amitié au sens premier. Mais elle n'est pas la seule forme d'amitié. D'autres affections, à condition qu'elles soient manifestes, réciproques et qu'elles consistent dans le fait de vouloir le bien d'une personne pour cette personne sont aussi des amitiés. Ce sont des amitiés dans un sens dérivé et dans un sens subordonné. Les caractéristiques qu'elles ont en commun avec l'amitié parfaite font d'elles des amitiés. Mais elles sont des amitiés dans un sens secondaire, car elles n'ont pas toutes les caractéristiques de l'amitié parfaite.

IV. L'amitié suppose-t-elle l'égalité ?
(livre VIII, chapitres 8 à 10, 1158 b 10 – 1159 b 25)

Parvenu à ce point de sa démonstration, Aristote dispose d'une définition générale de l'amitié et d'une typologie hiérarchisée de ses différentes formes. Mais son but n'est que partiellement atteint si les conditions de possibilité de l'amitié ne sont pas analysées. C'est à cette tâche qu'Aristote consacre la fin du chapitre 8 ainsi que les chapitres 9 et 10 du livre VIII. Son objectif est de résoudre deux difficultés : l'inégalité entre amis ruine-t-elle l'amitié ? et une affection dissymétrique est-elle encore une amitié ? Ces questions portent sur les modalités générales de l'amitié. Elles concernent certes des amitiés inférieures puisque les amis en question sont inégaux et dissemblables. Elles sont néanmoins capitales, car les amitiés idéal-typiques décrites jusqu'ici ne prenaient pas (ou peu) en compte les circonstances réelles de l'amitié. En examinant ce qui fait obstacle à l'amitié, Aristote donne à son étude sur l'amitié une précision accrue.

1) L'amitié est-elle possible entre personnes inégales ? (VIII, 8 – 9, 1158 b 10 – 1159 a 12)

A) L'amitié entre inégaux est possible sous condition du rétablissement de l'égalité proportionnelle

Les amitiés étudiées jusqu'ici supposent l'égalité entre amis parce qu'elles reposent sur l'échange de bienfaits égaux entre amis, qu'il s'agisse d'actions vertueuses, de services utiles ou de plaisirs. Est-ce à dire que l'amitié est impossible entre personnes inégales ? Si la personne pour laquelle j'ai de l'affection a une situation sociale, une beauté ou une vertu supérieures à la mienne puis-je malgré tout devenir son ami ? On attendrait d'Aristote une réponse négative. Puisque les amis par excellence sont semblables, l'amitié devrait disparaître dès que des « amis » sont trop dissemblables. Pourtant, le schéma d'« unité focale » de l'amitié rend possible une réponse positive : puisque l'amitié par excellence sert de référence à des formes d'amitié différentes, il est possible que des affections qui ne possèdent pas certains traits caractéristiques de l'amitié parfaite (en l'occurrence l'égalité entre amis) soient encore de l'amitié.

C'est pour cette raison que l'inégalité entre deux personnes n'est pas un obstacle rédhibitoire à leur amitié. L'amitié entre inégaux est simplement une autre espèce d'amitié, inférieure à l'amitié par excellence puisqu'elle ne possède pas l'une de ses caractéristiques essentielles. Ainsi, un rapport de supériorité fait changer l'amitié d'espèce mais ne la fait pas disparaître. Il y a donc de l'amitié entre le père et le fils, entre l'homme et la femme ou entre le chef et ses subordonnés. Est-ce à dire pour autant qu'Aristote considère que les liens filiaux, conjugaux et hiérarchiques sont identiques et que les amitiés qui y président sont elles aussi identiques ? Certes non, et l'on voit encore ici le souci constant chez Aristote de distinguer les affections diverses regroupées sous le terme d'amitié. À l'intérieur même de cette nouvelle espèce d'amitié, Aristote trace des séparations et met en évidence des dissemblances.

Qu'est-ce qui différencie les diverses amitiés entre inégaux ? Tout d'abord, les personnes unies par ces amitiés n'ont pas une fonction identique. Autrement dit, le statut de fils et les actes qu'il induit ne sont pas identiques à ceux d'une épouse ou à ceux d'un subordonné. En conséquence, chacun aura une excellence, une vertu différente. De surcroît l'inégalité entre amis a différentes sources. Ce qui, aux yeux d'Aristote, rend un père supérieur à son enfant n'est pas ce qui rend un maître supérieur à son esclave. La supériorité du père tient à son plus grand âge, au fait qu'il a engendré son fils et au fait qu'il l'a élevé, alors que la supériorité du maître sur ses esclaves tient à ses facultés intellectuelles. Les amitiés entre ces différentes personnes ne peuvent donc avoir des motifs identiques.

Pourtant, la réciprocité et l'égalité sont des caractéristiques essentielles de l'amitié par excellence. Or, ressembler à l'amitié par excellence est une condition *sine qua non* pour qu'une affection soit considérée une amitié. Comment donc est-il possible qu'une affection entre personnes inégales soit encore une amitié alors qu'elle diffère à ce point de l'amitié au sens premier ? Pour que des inégaux soient amis, l'égalité doit être rétablie entre eux. De la sorte, leur dissemblance avec les amis par excellence sera effacée. Seulement, l'égalité qu'il est possible d'établir entre amis inégaux est d'une autre espèce que l'égalité entre amis par excellence. Alors que l'amitié au sens premier repose sur une égalité arithmétique ou absolue, l'amitié entre inégaux repose sur une amitié géométrique ou proportionnelle. Autrement dit, dans l'amitié par excellence, les amis sont exactement autant vertueux l'un que l'autre. Mais dans le cas où les amis sont inégaux, la supériorité de l'un doit être compensée, chez l'inférieur, par un surcroît d'affection de sa part.

Prenons pour exemple le cas de l'officier et du soldat qui est placé sous ses ordres. Posons que la supériorité de l'officier tient à sa plus grande vertu guerrière, c'est-à-dire à son plus grand courage. Attribuons arbitrairement des valeurs numériques à leurs vertus respectives.

Soit le courage de l'officier (ami 1) = 4 et soit le courage du soldat (ami 2) = 2. Il y a, entre leurs vertus respectives, une inégalité arithmétique et une supériorité de l'officier puisque 4 > 2. Mais cette inégalité n'est pas un obstacle insurmontable à l'amitié, si le soldat (ami 2) donne à l'officier (ami 1) plus d'amitié qu'il n'en reçoit.

Si l'amitié que donne le soldat (ami 2) = 2 et si l'amitié que donne l'officier (ami 1) = 1, alors : Amitié que donne le soldat (ami 2) > Amitié que donne l'officier (ami 1).

Une égalité proportionnelle est établie car on a :

Vertu de l'officier (ami 1) / Amitié que reçoit l'ami 1 = 4 / 2

Vertu du soldat (ami 2) / Amitié que reçoit l'ami 2 = 2 / 1

Or 4 / 2 = 2 / 1

L'égalité proportionnelle entre amis inégaux est rétablie si et seulement si : Vertu de l'ami 1 / Amitié que reçoit l'ami 1 = Vertu de l'ami 2 / Amitié que reçoit l'ami 2.

Il faut néanmoins ajouter une précision importante sur cette ébauche de formalisation quantitative. Elle est purement arbitraire, a seulement une fonction pédagogique et ne figure pas dans le texte d'Aristote. Aristote n'affirme pas qu'il est possible de quantifier l'amitié que l'on donne et que l'on reçoit, ni qu'il est possible de quantifier la vertu. L'essentiel est pour lui la comparaison entre la vertu de chacun et l'amitié qu'il reçoit. Si nous rencontrons une personne que nous considérons à tort ou à raison, comme supérieure à nous, deux possibilités s'ouvrent à nous. Soit nous considérons que l'amitié n'est plus possible et nous nous contentons de lui vouloir du bien sans entrer en amitié avec elle. Soit nous compensons notre infériorité en lui donnant plus d'affection qu'elle ne nous en donne. Malgré la difficulté qu'il y a à estimer la quantité de vertu et la quantité d'amitié, le schéma paraît valide : nous ne savons généralement pas donner à une amitié ou à une vertu une valeur numérique, mais nous savons souvent, par comparaison, laquelle de deux personnes aime l'autre davantage et laquelle est supérieure à l'autre en vertu.

L'amitié entre inégaux est possible à condition d'être inscrite dans des relations qui rétablissent l'égalité proportionnelle. Elle diffère de l'amitié parfaite par le fait qu'elle ne repose pas sur une amitié arithmétique, mais elle lui ressemble par le fait qu'elle repose tout de même sur une égalité, l'égalité proportionnelle.

B) Conséquence : l'égalité entre amis n'est pas l'égalité entre hommes justes

Cette possibilité conditionnelle de l'amitié entre inégaux permet à Aristote de préciser la nature des rapports entre amitié et justice. La justice comme l'amitié ont pour condition de possibilité une certaine égalité entre les personnes qu'elles unissent. C'est l'un de leurs points communs. Mais elles diffèrent par le sens que chacune d'elles donne à la notion d'égalité. Dans le domaine de la justice, l'égalité au sens premier est l'égalité proportionnelle. En effet, être juste, c'est donner à chacun ce qui lui revient conformément à son mérite ou aux efforts qu'il a consentis. La justice est une vertu sociale. Elle s'exprime, dans le cadre d'un contrat, par la répartition équitable des bénéfices entre associés, proportionnellement à leur contribution initiale. Or, dans les relations sociales, on est généralement confronté à de multiples inégalités de mérite, de puissance, d'efforts ou de contribution. Dans le domaine des actions justes, le sens premier de l'égalité est donc l'égalité proportionnelle ou géométrique. L'égalité arithmétique est plus rare, elle n'en est qu'un cas particulier.

Au contraire, dans la sphère de l'amitié, l'inégalité entre personnes ne caractérise que certaines amitiés dérivées. L'amitié au sens premier repose sur une égalité absolue entre amis. En amitié, l'égalité au sens premier, c'est l'égalité arithmétique. On a besoin d'établir une égalité proportionnelle seulement lorsque l'amitié au sens premier ne peut exister en raison d'une supériorité d'un des amis sur l'autre.

2) L'amitié est-elle possible si une personne donne plus d'affection qu'elle n'en reçoit ? (VIII, 9 - 10, 1159 a 12 - 1159 b 25)

L'égalité stricte n'est pas une condition nécessaire de l'amitié. Elle est seulement une condition de possibilité de l'amitié au sens premier du terme. Voilà donc résolue l'une des apories concernant les conditions de possibilité de l'amitié. Mais la solution que reçoit cette question soulève un deuxième problème : l'amitié est-elle encore possible si l'amitié que l'on donne n'est pas égale à l'amitié reçue ? En posant cette question, Aristote remet en cause la réponse même qu'il a donnée au problème de l'inégalité. Mais cette remise en cause est justifiée. En effet, la définition générale de l'amitié précise que l'amitié est une affection réciproque. Un certaine parallélisme entre amis est donc nécessaire à l'amitié. L'amitié est-elle encore possible, notamment entre inégaux, si l'un des amis aime davantage qu'il n'est aimé ?

La réponse donnée par Aristote à ce problème est identique, dans son principe, à celle qu'il a donnée aux problèmes précédents. Entre personnes qui ne s'aiment pas au même degré, l'amitié est possible mais elle est une espèce dérivée de l'amitié parfaite. En effet, l'amitié réside davantage dans le fait d'aimer que dans le fait d'être aimé. Pour reconnaître ce qui caractérise davantage l'amitié, il se sert de la comparaison avec l'amitié par excellence comme d'un critère. Dans cette amitié, la vertu consiste en l'actualisation de ses propres facultés et dans le fait d'agir bien envers ses amis. De la même façon, aimer est une action, alors qu'être aimé est une attitude passive. Aristote dégage donc une nouvelle caractéristique à l'amitié par excellence : elle consiste à aimer plutôt qu'à être aimé.

Si l'on se reporte à la solution donnée au problème de l'inégalité dans l'amitié, on peut peut-être y déceler un paradoxe. Si l'amitié consiste à aimer plutôt qu'à être aimé et si l'homme supérieur doit être aimé plus qu'il n'aime, l'homme supérieur est moins ami que son inférieur. Mais le paradoxe n'est qu'apparent puisque le but du système de péréquation entre amis inégaux est précisément de compenser une infériorité de qualités par une supériorité d'action. Ce point éclaire la solution apportée au problème de l'inégalité dans l'amitié : l'inférieur agit davantage pour son ami que son ami supérieur ne le doit. Ainsi les vertus tendent à s'égaliser. Les deux problèmes « l'amitié est-elle possible entre inégaux ? » et « l'amitié consiste-t-elle plus à aimer ou à être aimé ? » trouvent une solution commune dans le rétablissement de l'égalité proportionnelle par une différence entre aimer et être aimé. Ou, plus exactement, le premier trouve sa solution dans le deuxième. C'est parce qu'aimer caractérise plus l'amitié qu'être aimé, que l'inférieur peut s'égaliser, dans une certaine mesure, avec le supérieur.

V. L'amitié a-t-elle une place en politique, dans la famille et en économie ?
(Livre VIII, chapitres 11 à 16 et livre IX, chapitre 1, 1159 b 25 - 1164 b 21)

À ce stade de la recherche, la conception aristotélicienne de l'amitié demeure encore très générale. Aristote a formulé une définition globale de l'amitié, dressé une typologie des principales formes d'amitié et mis en évidence deux obstacles à l'amitié, l'inégalité et la dissymétrie. Mais, à partir du chapitre 11 du livre VIII, l'analyse se fait plus précise. Le problème est désormais de savoir si la définition de l'amitié est capable de rendre compte des différents liens qui unissent effectivement les hommes. Ces liens sont multiples. Ils sont politiques, religieux, sexuels, économiques, affectifs. Aristote passe donc en revue trois grands types de relations (politiques, familiales, économiques) pour mettre à l'épreuve sa conception de l'amitié.

1) Les cités sont-elles fondées sur l'amitié ?
(VIII, 11 - 13, 1159 b 25 - 1161 b 10)

La question des relations entre amitié et politique peut paraître incongrue. Si la politique est le domaine du pouvoir et de l'action publique, quel peut être son rapport avec l'amitié, relation interpersonnelle et privée où la supériorité d'une personne sur l'autre est une entrave à leur affection ? L'enjeu d'une étude des relations entre amitié et politique est donc capital : la conception aristotélicienne de l'amitié permet-elle de comprendre ce qui unit les hommes dans une cité ?

La thèse que défend Aristote concernant les relations entre amitié et politique n'est pas la position naïve que lui prête Hobbes. Aristote n'essaye pas de montrer à toute force et contre l'évidence que toute société politique humaine repose sur une l'affection attendrie de chaque citoyen pour tous ses concitoyens. Sa thèse est certes que toute communauté politique repose sur l'amitié, mais que l'amitié politique est une amitié d'une espèce particulière. Pour soutenir cette thèse, Aristote procède en quatre temps. Il montre tout d'abord que toute communauté humaine est indissociable d'une amitié (A). Il montre ensuite que toute cité est une communauté et qu'elle comporte donc des liens d'amitié (B). Mais il rappelle qu'il existe des communautés politiques très différentes (C) et que chacune d'elles est soudée par une amitié politique différente (D).

A) Amitié et communauté sont inséparables

La première étape du raisonnement consiste à montrer le caractère indissociable de l'amitié et de la communauté. Pour ce faire, Aristote use de deux arguments : d'une part, aucune communauté ne peut se passer d'amitié et, d'autre part, aucune amitié ne peut apparaître sans qu'existe une communauté entre les personnes qu'elle lie.

Pour soutenir la première thèse, Aristote recourt à une induction. Il passe en revue des cas particuliers de communautés et en tire une conclusion sur les communautés humaines en général. Les marins d'un même équipage forment un communauté. Ils ont en effet en commun de vouloir parvenir sains et saufs à leur destination. Voilà ce qui crée entre eux une communauté. Or, cette communauté crée entre eux des liens d'affection. Il en va de même de la communauté formée par les soldats combattant dans la même armée : ils sont soudés pas des buts communs et se lient d'amitié. Ce qui fait que toutes ces personnes sont amies est précisément le fait qu'elles sont membres d'une communauté. L'induction montre donc que toute communauté établit une amitié entre ses membres. Il faut néanmoins noter que l'amitié qui unit ces différentes communautés est très variable. En effet, les membres d'une communauté ne sont amis qu'autant qu'ils forment une communauté. Autrement dit, plus la communauté est intégrée, plus elle est durable. De même, plus les buts communs sont nombreux, plus l'amitié est solide.

Si toute communauté a besoin de l'amitié pour exister, inversement, toute amitié, pour exister, est tributaire d'une mise en commun, c'est-à-dire d'une communauté. En effet, les amis mettent en commun leurs biens, c'est ce qui les différencie des autres hommes. Des hommes qui ne mettent rien en commun ne se lient pas d'amitié. Toute communauté suppose donc de l'amitié et toute amitié consiste en une certaine communauté.

B) La cité est elle aussi une communauté, elle comprend donc une certaine amitié

Pour montrer que l'amitié a une place centrale dans la vie politique, c'est-à-dire dans la vie de la cité, Aristote doit d'abord montrer que la cité est elle aussi une communauté. Il reprend ici rapidement certains arguments du livre I de la *Politique*. Une communauté s'établit entre des hommes lorsqu'ils se réunissent autour d'un intérêt commun. Plus précisément, les communautés humaines sont généralement soudées autour d'intérêts vitaux. Ainsi, les parents sont unis en communauté pour assurer les besoins vitaux de nourriture, de reproduction de l'espèce. Or, la cité naît précisément pour assurer tous les besoins vitaux de l'homme : éducation, défense, protection, nourriture, vêtement, et d'autres encore. Ainsi, une cité naît lorsque des hommes mettent en commun tous leurs intérêts vitaux. La cité, autrement dit l'organisation politique, constitue donc une communauté. Mais elle est une communauté d'un type particulier. Elle est soudée par la totalité des intérêts vitaux. Son but, à la différence des autres communautés, est l'intérêt commun.

Puisque la cité est une communauté, une certaine amitié doit unir ses membres. Mais de quelle amitié s'agit-il ? La cité est, aux yeux d'Aristote, une communauté d'intérêts. L'amitié qui unit ses membres doit donc apparemment être une amitié reposant sur l'utile. Mais ce point soulève plusieurs difficultés. D'une part, selon le livre I de l'*Éthique à Nicomaque*, la cité n'a pas pour unique but le bien-être matériel, mais aussi le bonheur éthique. D'autre part, toutes les communautés qui font partie de la cité, même si elles sont réunies autour d'un intérêt commun, ne sont pas soudées par des amitiés reposant sur l'utile. Les thiases ou les syssities[1] reposent au moins en

---

1. Le thiase était une confrérie célébrant des rites en l'honneur d'un dieu et parcourant les rues avec une gaîté bruyante, en chantant, criant et dansant. Les syssities étaient des

partie sur le plaisir. L'amitié politique est donc bien difficile à ranger dans la typologie des amitiés, car elle n'est pas purement et simplement une amitié fondée sur l'utile. En somme, comme la cité est une communauté et que toute communauté est soudée par une amitié, les membres d'une cité sont nécessairement liés par l'amitié. Mais il s'agit d'une amitié politique. Y a-t-il pour autant une seule amitié politique, identique dans toutes les formes d'organisation politique ?

C) Il y a plusieurs formes de communautés politiques

Aristote s'exposerait à de graves objections s'il s'en tenait à une preuve générale sur l'existence et l'importance de l'amitié en politique. Car la thèse selon laquelle l'amitié est un pivot de la vie politique et civique est loin d'aller de soi. On peut par exemple objecter que la solidarité entre concitoyens n'est pas à proprement parler de l'amitié. Des concitoyens ne se portent en effet pas toujours une affection manifeste et réciproque. On peut répondre à cette objection en soulignant que les cités antiques possédaient une population moins nombreuse que les États actuels, ce qui favorisait l'éclosion d'une solidarité personnelle entre les citoyens. Il n'en reste pas moins que, pour Aristote, l'amitié politique ne se réduit pas à une amitié sentimentale ou à une solidarité tribale élargie. Il distingue en effet nettement l'amitié politique de toutes les autres amitiés, de même qu'il a soigneusement distingué la cité de toutes les autres formes d'organisation humaine. Mais, tant qu'il n'a pas montré de quelle façon l'amitié se manifeste dans les différents systèmes politiques, il n'a pas prouvé que l'amitié a une place centrale en politique. Si énoncer le principe de la consubstantialité entre communauté et amitié ne suffit pas, il faut mettre en évidence des modes de solidarités politiques effectifs et précis qui se ramènent à de l'amitié. Pour ce faire, Aristote procède en deux temps. Il rappelle d'abord la typologie des régimes constitutionnels existant (VIII, 12) pour ensuite montrer que l'amitié est présente dans chacun d'eux, mais à chaque fois sous une forme différente (VIII, 13).

---

associations ayant pour but la tenue de repas communs où chacun apportait sa contribution, en argent ou en nourriture.

Dans le chapitre 12, Aristote se contente de rappeler, sans la justifier ou la détailler, la typologie des constitutions qu'il a construite dans la *Politique* pour mettre en regard, au chapitre suivant, les amitiés correspondantes. Cette typologie est hiérarchisée. Aristote reprend apparemment une tripartition classique des régimes politiques et constitutionnels. Selon cette conception, il est possible de ranger tous les régimes politiques en trois grands groupes : monarchie, aristocratie et régime constitutionnel. Mais Aristote, dans le sillage de Platon, ajoute à ce tableau à trois entrées une nouvelle entrée : chacun de ces régimes a une forme dégradée ou altérée. Ainsi, Aristote abandonne le schéma traditionnel simple où les régimes sont distingués les uns des autres selon un critère quantitatif et que le tableau suivant résume :

Typologie traditionnelle des régimes politiques

Type de régime	Monarchie	Aristocratie	Régime constitutionnel
Nombres de personnes exerçant le pouvoir	Une seule personne exerce le pouvoir	Peu de personnes exercent le pouvoir	Les citoyens exercent tous le pouvoir à tour de rôle

Aristote passe à une classification plus complexe et plus fine. Au critère quantitatif du nombre de gouvernants, il ajoute des critères qualitatifs. Ainsi, il y a deux types de régimes monarchiques. Si l'unique personne qui exerce le pouvoir le fait pour le bien de ses sujets, il s'agit d'une royauté. Mais s'il gouverne pour son seul profit, il s'agit d'une tyrannie, c'est-à-dire de la forme pervertie ou altérée de la royauté. De même, le fait que peu de personnes exercent le pouvoir n'est pas un critère suffisant pour déterminer la nature du régime. Il faut en outre déterminer si ces personnes répartissent les ressources et les charges publiques proportionnellement au mérite des citoyens ou bien s'ils procèdent à cette répartition au mépris du mérite et à leur seul profit. Enfin, il y a deux formes de régimes politiques qui assurent à tous les citoyens la capacité d'exercer le pouvoir, le régime censitaire ou régime constitutionnel et la démocratie. Tous deux satisfont au même critère quantitatif : tous les citoyens peuvent exercer le pouvoir. Mais ils se différencient par la façon dont chacun définit qui est citoyen. Dans le régime censitaire ou constitutionnel, ceux qui peuvent payer le cens sont citoyens, alors qu'en démocratie tous peuvent être citoyens. Aristote propose donc une typologie des régimes politiques plus complexe et plus détaillée. Le tableau suivant en rend compte :

Typologie aristotélicienne des régimes politiques

	Une seule personne exerce le pouvoir	Peu de personnes exercent le pouvoir	Tous les citoyens exercent le pouvoir
Forme droite de régime politique	Royauté	Aristocratie	Régime censitaire ou constitutionnel
Forme déviée de régime politique	Tyrannie	Oligarchie	Démocratie

Aristote illustre cette typologie en rapprochant chacun des régimes politiques d'une relation au sein de la famille. On peut être surpris par cette comparaison. Aristote n'a-t-il pas distingué avec soin la communauté politique des autres communautés qu'elle englobe et notamment de la communauté familiale ? De plus, comment la famille, organisation privée, peut-elle servir de modèle pour comprendre les organisations publiques que sont les différents régimes politiques et les constitutions ?

Il faut tout d'abord noter que le but d'Aristote n'est pas ici de prendre la famille pour modèle explicatif des systèmes politiques. La typologie des régimes politiques et la typologie des relations familiales sont mises en parallèle sans que l'une soit la source de l'autre. Elles sont toutes deux les illustrations, dans deux domaines différents, d'une typologie générale du pouvoir. Aristote isole en effet différentes structures de pouvoir pour ensuite montrer quelle espèce d'amitié y règne.

Par exemple, le but d'Aristote n'est pas d'affirmer que le pouvoir du roi est légitime parce qu'il est celui du père. Son objectif n'est pas non plus de défendre l'autorité paternelle en faisant du père de famille un monarque. Aristote s'efforce seulement de repérer une structure de pouvoir. Et la première qu'il identifie est la suivante : le pouvoir est exercé par une personne seule qui est en elle-même supérieure aux personnes qu'elle dirige et qui exerce son pouvoir pour le bien de ces personnes. Les pouvoirs du père et du roi correspondent à ce schéma même s'ils sont par ailleurs très différents. L'un ne sert pas de modèle à l'autre, ils sont régis par une structure de pouvoir identique. Grâce à cette méthode, Aristote isole six structures générales de pouvoir pour ensuite mettre en évidence les amitiés qui y correspondent :

Typologie aristotélicienne des structures de pouvoir

Nombre de personnes exerçant le pouvoir	Structure de pouvoir	Régime politique	Relation familiale
Le pouvoir est exercé par un seul	Le pouvoir est exercé dans l'intérêt des personnes commandées	Royauté	Relations entre le père et les enfants
	Le pouvoir est exercé dans le seul intérêt de celui qui commande	Tyrannie	Relations entre le maître et ses esclaves ou entre le père barbare (Perse) et ses enfants
Le pouvoir est exercé par peu de personnes	Le pouvoir est exercé en respectant la valeur de chacun	Aristocratie	Relations entre l'homme et la femme
	Le pouvoir est exercé au mépris de la valeur de chacun	Oligarchie	Relations entre un homme exerçant un pouvoir excessif et une femme
Le pouvoir est exercé par toutes les personnes égales	Le pouvoir est exercé conformément à la valeur de chacun	Régime censitaire ou constitutionnel	Relations entre frères
	Le pouvoir est exercé sans considération pour les différences de valeur	Démocratie	Relations entre les membres d'une famille sans chef

La fin du chapitre 12 est en apparence consacrée à des comparaisons inexactes et superflues. Elle livre en fait plusieurs clés de la théorie aristotélicienne de l'amitié. D'une part, Aristote y montre qu'il existe une certaine homologie entre pouvoir et amitié. Le pouvoir et l'amitié (tout comme l'être en général) se disent en plusieurs sens. D'autre part, Aristote énonce ici implicitement une thèse de sociologie politique et familiale extrêmement forte : les différentes formes d'organisation familiales et politiques se ramènent toutes à des structures de pouvoir plus générales. Enfin, il faut souligner que ce détour par la typologie des régimes politiques, loin d'être une digression, est une pièce essentielle de la démonstration aristotélicienne pour montrer que les organisations et les solidarités politiques sont régies par des amitiés. Quelles sont donc les différentes amitiés qui correspondent à chacune des structures de pouvoir ? C'est ce que les chapitres 13 et 14 expliquent en évidence, respectivement dans le domaine politique et dans le domaine des relations familiales.

D) Toutes les communautés politiques ne sont pas soudées par la même forme d'amitié

Pour déterminer quelle amitié correspond à chaque schéma de pouvoir et à chaque régime, il faut donc reprendre les critères proposés par Aristote pour connaître la nature des différentes formes d'amitié et les appliquer à chacun d'entre eux. Pour savoir à quelle amitié on a affaire, il faut la comparer avec l'amitié parfaite.

Les relations entre un roi et ses sujets comportent une supériorité du premier sur les seconds. Entre un roi et ses sujets, il ne s'agit donc pas de l'amitié parfaite fondée sur la vertu mais de l'amitié qui repose sur une égalité proportionnelle. Pour les sujets, elle est avant tout fondée sur l'utilité puisque le pouvoir royal s'exerce à leur profit. Mais l'amitié du roi pour ses sujets ne peut reposer sur l'utilité puisque le roi se distingue du tyran précisément par le fait qu'il se suffit à lui-même et qu'il peut se passer de ses sujets. Son affection reposera donc sur le bien, c'est-à-dire sur sa propre vertu. De même, l'affection qui unit les gouvernants aux gouvernés dans un régime aristocratique diffère de l'amitié parfaite, dans la mesure où les uns sont supérieurs aux autres. L'amitié qui unit tous les concitoyens d'une cité aristocratique est donc caractérisée par une dissymétrie de valeur et par une compensation proportionnelle de la part des inférieurs. Au contraire, dans une cité régie par le régime constitutionnel ou censitaire, l'égalité entre concitoyens permet l'instauration d'une amitié plus proche de l'amitié parfaite. Il s'établit des liens de confraternité et de camaraderie entre les membres de telles cités. En somme, plus les citoyens sont égaux et semblables, plus ils forment une communauté et donc plus l'amitié qui les unit ressemble à l'amitié parfaite.

La réciproque de la mise en regard des différentes amitiés et des différents régimes politique est évidente : moins les gouvernants et les gouvernés ont de choses en commun, moins ils sont unis par l'amitié politique. Le cas limite de la tyrannie le montre très clairement. Entre un tyran et ses sujets, il n'y a presque plus rien de commun. La conséquence de cette constatation au point de vue de la science politique est que la cité régie par un pouvoir tyrannique ne constitue plus une communauté politique à proprement parler : la tyrannie n'est quasiment pas un régime politique. Du point de vue de la théorie de l'amitié, la tyrannie exclut presque complètement l'amitié entre concitoyens. Une tyrannie n'est donc pas une cité unifiée, c'est un groupe proche de la désorganisation puisque l'amitié lui fait presque totalement défaut.

2) Les familles sont-elles unies par l'amitié ? (VIII, 14, 1161 b 11 - 1162 a 33)

Tout comme la politique, la famille paraît entretenir avec l'amitié des rapports très ténus. Tout d'abord, l'amitié par excellence rassemble des amis qui se choisissent. On ne naît jamais ami de quelqu'un. Au contraire, les liens résultent de notre naissance et ne dépendent pas de notre volonté. D'autre part, les différentes relations qui unissent les membres d'une famille sont si différentes les unes des autres qu'il paraît impossible de les rassembler sous le même nom d'amitié. Pour répondre à ces objections de principe, Aristote introduit deux remarques préliminaires.

• Pour pouvoir légitimement parler d'amitié dans les relations familiales, il convient de souligner que l'amitié familiale a un statut à part en raison de son caractère involontaire. L'amitié familiale, si elle existe, est la seule des amitiés qui ne repose sur aucun accord implicite ou explicite des personnes qu'elle lie.

• En dépit de son apparente hétérogénéité, l'amitié familiale a une certaine unité, une unité focale. En effet, toute affection familiale résulte en dernier ressort de l'affection que les parents ont pour leurs enfants. Cette dernière est en effet la condition de possibilité de la famille et donc de toutes les affections familiales. Les enfants ont de l'amitié pour leur parents parce que ces derniers ont d'abord eu de l'amitié pour eux. De même, l'amitié entre frères découle de leurs liens avec leurs parents. Enfin, la relation entre homme et femme est elle aussi fondée sur l'amitié que les parents portent à leur progéniture. En conséquence, si la famille repose sur l'amitié, elle repose au premier chef sur l'amitié que les parents portent à leurs enfants. Toutes les autres formes de l'amitié familiale dérivent d'elle.

Les arguments adoptés par Aristote pour montrer que la famille est elle aussi régie par l'amitié et pour soutenir qu'il y a différentes formes d'amitié familiale sont identiques à ceux déjà utilisés dans l'étude de la politique. La famille constitue une communauté car elle est destinée à assurer plusieurs besoins vitaux : la reproduction, la protection des enfants, leur éducation et leur développement. Si les membres d'une famille forment une communauté, ils sont nécessairement liés par l'amitié. Mais comme les liens qui unissent les membres d'une même famille sont hétérogènes, la communauté familiale recouvre plusieurs communautés différentes et rassemble donc des amitiés différentes.

La typologie des amitiés familiales repose, comme la typologie des régimes, sur la typologie des structures de pouvoir. Les amitiés familiales sont de plusieurs espèces parce que les rapports de pouvoir au sein de la famille sont de plusieurs espèces. La famille est une communauté qui comporte structurellement une supériorité de certains de ses membres sur les autres. Les parents sont en effet la cause de l'existence et du développement de leurs enfants. Les enfants ont donc besoin de leurs parents sans que ces derniers aient besoin de leurs enfants. De même, la relation entre l'homme et la femme est une relation comportant, aux yeux d'Aristote, une supériorité de l'homme sur la femme. La justification de cette dernière thèse est allusive : l'homme possède, selon Aristote, une fonction et des capacités supérieures à celles de la femme. La supériorité de l'homme sur la femme est moindre que celle des parents sur les enfants, mais l'amitié familiale au sens premier est une amitié hiérarchique. L'amitié familiale est en outre dissymétrique parce qu'elle n'a pas les mêmes causes pour toutes les personnes qu'elle réunit. Les parents aiment leurs enfants parce qu'ils sont quelque chose d'eux-mêmes. Autrement dit, la source de l'amitié des parents envers leurs enfants est directement l'amitié que chaque être a pour lui-même. Au contraire, l'amitié des enfants pour leurs parents est une amitié fondée sur l'utile. Elle est de surcroît plus récente chez les enfants que chez les parents. Et l'amitié entre époux repose tout aussi bien sur l'utile, sur le plaisir et sur des instincts innés. L'amitié familiale au sens premier du terme apparaît ainsi comme radicalement distincte de l'amitié parfaite.

Deux amitiés familiales seulement se rapprochent de l'amitié par excellence. La première est l'amitié entre époux vertueux. Cela ne signifie pour autant pas que la supériorité d'un des deux amis (l'homme) est effacée. Or, cette dissemblance entre amis rend apparemment impossible l'amitié parfaite entre un homme et une femme. Seule l'amitié entre frères peut coïncider avec l'amitié par excellence. Cette affection lie en effet des êtres égaux. La communauté qui s'établit entre eux est donc plus grande. De plus, les frères sont semblables. Ils ont en effet les mêmes origines et la même éducation, s'ils ont été élevés ensemble. De plus, si des frères sont vertueux, ils sont doublement amis : ils sont amis en vertu de la communauté qu'a établie entre eux l'appartenance à une même famille et ils sont amis parce qu'ils sont des hommes de biens. C'est pour cette raison qu'ils sont « un seul et même être dans deux individus » distincts.

Les formes d'amitié politique et familiale diffèrent, pour la plupart, de l'amitié par excellence. Néanmoins, deux structures fondamentales de la vie sociale humaine, la cité et la famille, sont régies par l'amitié sous différentes formes. Le besoin, le plaisir et parfois même la vertu créent les communautés du couple, de la famille, du clan et de la cité ainsi que les liens d'amitiés qui les tiennent unies. Reste donc à montrer comment les échanges, et notamment les échanges économiques, sont eux aussi régis par l'amitié.

3) Les échanges peuvent-ils se passer d'amitié ?
(VIII, 15 et 16 – IX, 1, 1162 a 34 – 1164 b 21)

L'amitié semble étrangère aux échanges de biens et de services. Des partenaires commerciaux sont en effet rarement amis. Ils ne veulent que leur propre bien et n'aiment pas pour elle-même la personne avec laquelle ils réalisent des échanges.

A) L'amitié est-elle possible dans les échanges ?

Pourtant, les amitiés reposant sur l'utile ou sur le plaisir reposent sur des échanges. Une certaine amitié préside à l'échange de plaisirs et de services utiles parce que l'échange crée une communauté entre les parties qu'elle met en rapport. En conséquence, non seulement échange et amitié ne s'excluent pas l'un l'autre, mais, en outre, tout échange, parce qu'il instaure une communauté entre les parties, est inséparable d'une certaine forme d'amitié. Aristote se distingue ainsi radicalement des penseurs qui considèrent les échanges, et plus particulièrement les échanges économiques, comme une forme civilisée de guerre. Les échanges ne se font pas sans une certaine amitié, mais l'échange de biens et de services utiles met fréquemment en péril la communauté et l'amitié qu'il instaure. En effet, l'amitié fondée sur l'utile, autrement dit sur l'échange de biens matériels et de services, est très souvent en proie à la discorde. C'est pourquoi Aristote la considère comme une amitié inférieure et dérivée.

L'amitié est donc possible dans les échanges, mais elle est en butte à de nombreux écueils que ne rencontre pas l'amitié fondée sur le bien. Toute l'entreprise d'Aristote dans les chapitres 15 et 16 du livre VIII ainsi que dans le premier chapitre du livre IX[1] est de mettre en évidence les obstacles récurrents auxquels se heurte l'amitié reposant sur l'échange et de montrer comment ils peuvent être surmontés. De la sorte, il cherche des instruments pour préserver une des formes inférieures de l'amitié. Parce qu'il s'agit d'amitiés accidentelles et

---

1. La division traditionnelle en deux livres montre ici ses limites puisque les éditeurs antiques font commencer le livre IX au milieu du développement consacré selon nous à l'amitié dans les échanges.

inférieures, et donc instables, il convient en effet de prendre quelques précautions pour leur conservation.

B) Les obstacles auxquels se heurte l'amitié reposant sur l'échange de biens ou de plaisirs

Tout au long des chapitres VIII, 15, 16 et IX, 1, Aristote recense les différentes sources de discorde et donc les différentes menaces pesant sur l'amitié. En dépit de leurs spécificités, leur principe est toujours identique. L'amitié dans les échanges est toujours mise à mal par ce qui rompt la communauté entre les personnes qui sont parties à l'échange. Or, la principale cause de dissolution d'une communauté est le désaccord de ses membres sur la valeur de ce qui est échangé. En effet, la communauté et l'amitié sont préservées si les biens échangés sont de valeur égale. Elles sont détruites par la discorde si les biens échangés sont inégaux. Quatre principaux cas de figure sont envisagés par Aristote :

1. *L'amitié est mise en péril si les biens échangés sont inégaux.* L'amitié repose avant tout sur l'égalité arithmétique, mais l'amitié entre inégaux est rendue possible par l'établissement d'une égalité proportionnelle. En conséquence, l'amitié entre partenaires disparaît lorsqu'ils échangent des biens de valeurs inégales et que l'inégalité de valeur n'est pas compensée par une inégalité quantitative en sens inverse. La communauté est rompue parce que des récriminations s'élèvent entre eux. Par exemple, si la somme d'argent donnée au cordonnier pour acheter les chaussures qu'il a produites n'est pas égale à leur valeur réelle, des disputes s'élèvent. L'amitié est dissoute parce qu'il n'y a plus ni communauté, ni affection, ni échange possible entre les parties. Le risque de discorde est augmenté par le fait que des partenaires commerciaux estiment généralement que ce qu'ils donnent est de plus grande valeur que ce qu'ils reçoivent.

Pareillement, l'amitié amoureuse est menacée lorsque l'échange est considéré comme inégal par l'une des deux parties. Or, la plupart du temps, l'amant considère qu'il donne plus d'amour qu'il n'en reçoit de l'aimé. C'est ainsi que les disputes se multiplient et que l'amitié amoureuse disparaît.

L'amitié qui préside aux échanges est compromise si l'échange est considéré comme inégal. Or, dans les échanges, les partenaires ont structurellement l'impression qu'ils reçoivent moins qu'ils ne donnent. Cette impression tient au fait que les biens échangés, même s'ils ne sont pas effectivement inégaux, sont toujours dissemblables. En effet, pour qu'il y ait échange, il faut que les partenaires n'aient pas déjà ce qu'ils recherchent. Deux personnes ayant des biens et des besoins identiques n'entrent pas en communauté d'échange l'une avec l'autre. Pour qu'une communauté s'instaure, il est nécessaire que l'échange s'effectue entre deux personnes qui ont des biens et des besoins différents. Or, une communauté de personnes qui repose sur des échanges est plus instable que celle qui repose sur l'amitié parfaite. Cette dernière consiste en effet en des échanges de biens identiques : les actions vertueuses.

2. *L'amitié est rompue si l'une des deux parties ne donne pas ce qu'elle a promis.* Ne pas donner le bien que l'on a promis en échange du bien que l'on a reçu est un cas particulier et extrême de la rupture de l'égalité dans l'échange. En effet, ne rien donner en échange d'un bien, c'est donner bien moins que ce que l'on a reçu. La communauté entre partenaires n'est alors plus possible. Ne pas payer ses dettes est l'exemple le plus frappant de cette destruction de l'amitié entre partenaires. Cette inégalité radicale peut également survenir dans l'amitié amoureuse, lorsque l'amant, après avoir obtenu les faveurs de l'aimé, ne tient pas les promesses qu'il lui a faites.

3. *L'amitié est dissoute lorsqu'il y a désaccord sur le critère qui permet de juger de la valeur des biens ou services échangés.* Cette menace est intimement liée à celle qui tient à l'inégalité des biens échangés. En effet, lorsqu'une dispute s'élève entre partenaires pour savoir si les biens échangés sont d'égale valeur, leur amitié est compromise, mais pas dissoute. Pour restaurer la communauté, les partenaires peuvent encore recourir à un instrument de mesure commun. Un tel instrument est susceptible de rétablir l'amitié parce que, s'il est accepté par les deux parties, il réintroduit entre elles un élément commun et jette les bases d'une communauté d'échange plus complète. De plus, un tel critère permet de vérifier l'égalité ou bien de constater l'inégalité des biens échangés et de la rectifier. Qu'il y ait ou non inégalité effective entre les biens échangés, si, dans un échange, les

parties n'adoptent pas un instrument de mesure commun, leur communauté (et donc leur amitié) est dissoute car les partenaires ont toujours l'impression d'une inégalité et ne se dotent pas du moyen de la corriger.

4. *L'amitié disparaît lorsque les partenaires de l'échange ne sont pas liés par la même espèce d'amitié.* Il s'agit d'un cas où l'inégalité entre biens échangés est aggravée par une différence de nature entre les amitiés qu'éprouve chacun des partenaires. Dans ce cas de figure, chacun donne à l'autre un bien. Mais l'échange ne relève pas de la même amitié pour les deux partenaires. De sorte que les règles de l'échange et la nature des biens échangés ne sont pas identiques pour les deux parties. Ni les biens échangés, ni les règles observées ne sont donc communes aux parties de l'échange. La communauté disparaît et l'amitié avec elle. Aristote prend deux exemples de cette situation. Dans le domaine de l'amitié fondée sur l'utile, la discorde provient du fait que les partenaires confondent « l'amitié éthique » et « l'amitié contractuelle ». La première est un système de cadeaux réciproques, de dons et de contre-dons. La deuxième règne dans les échanges commerciaux régis par des contrats. Si deux personnes réalisent un échange et si l'une croit qu'il s'agit d'un échange de présents, alors que l'autre croit que l'échange est commercial, les partenaires n'ont pas la même idée sur le délai et sur les obligations inhérentes à l'échange. Celui qui se croit engagé dans un échange commercial s'en tiendra à une stricte égalité des biens échangés et sera pointilleux sur les délais de paiement. Mais celui qui s'estime partie à un échange de présents s'attendra à ce que le contre-don soit plus élevé que le don et à ce que les délais soient très souples. Même si tous deux savent qu'ils sont liés par une amitié reposant sur l'utile, leur communauté et leur amitié sont mises en péril du fait qu'ils confondent deux formes de cette amitié.

L'amitié amoureuse peut elle aussi être victime de ce genre de confusion. Dans le schéma aristotélicien, l'amant a pour l'aimé une amitié fondée sur le plaisir alors que l'aimé attend de son admirateur des services utiles. Leur communauté est perpétuellement menacée, car l'échange n'est pas réalisé par les deux partenaires en vue d'un bien identique.

Les amitiés fondée sur l'échange sont très fragiles. Elles sont accidentelles et l'échange qui crée la communauté repose sur la dissemblance des biens échangés et donc sur ce qui risque de détruire la communauté des partenaires. C'est le paradoxe de l'amitié dans les échanges : sa raison d'être est également ce qui menace son existence.

C) Les précautions à prendre pour préserver l'amitié dans les échanges

Si cette amitié est par nature précaire, de quels moyens dispose-t-on pour la préserver ? Aristote propose de multiples règles pratiques qui varient selon les circonstances. Elles peuvent pourtant être rassemblées en deux grands séries. En effet, les menaces qui pèsent sur l'amitié se ramènent elles aussi à deux grandes classes : l'amitié est menacée soit lorsque les biens échangés sont inégaux soit lorsque les biens échangés sont dissemblables.

Pour éviter les discordes qui tiennent à l'inégalité des biens échangés, il faut rétablir l'égalité. Pour atteindre ce but, on est placé devant une alternative : soit les partenaires disposent d'un critère d'évaluation commun, soit ils sont en désaccord également sur celui-ci. Dans le premier cas, il suffit de rétablir l'égalité grâce au système de compensation proportionnelle déjà exposé. Mais dans le deuxième cas, il faut pouvoir déterminer si l'inégalité est effective pour éventuellement la corriger. Un critère d'évaluation commun est alors nécessaire. Toute la question est donc de savoir quel est ce critère. La valeur d'un bien doit-elle être estimée par celui qui le fournit ou par celui qui l'acquiert ? Pour Aristote, la valeur réelle d'une bien est fixée par celui qui en a besoin. C'est la valeur d'usage qui constitue la pierre de touche de la valeur. La valeur d'une chose n'est pas sa valeur d'échange, c'est-à-dire le bénéfice que l'on peut tirer de son commerce.

Pour éviter les discordes qui tiennent à la dissemblance entre les biens échangés, la monnaie peut fournir une commune mesure. Il est par exemple difficile, dans un échange entre un cordonnier et un laboureur, de savoir quelle quantité de blé équivaut à une paire de chaussures. La monnaie est un instrument grâce auquel on peut donner une évaluation numérique de chacun des deux biens. Elle permet donc de surmonter l'hétérogénéité des biens échangés. Mais la difficulté subsiste lorsque les biens ou les services échangés ne sont pas mesurables en argent, comme lorsqu'il s'agit de l'affection, du plaisir ou du savoir.

Pour préserver la communauté entre partenaires qui se croient engagés l'un dans un échange commercial, l'autre dans une relation de dons réciproques, la solution est de dissiper toute incertitude. Chaque partenaire doit se considérer comme engagé dans le système le plus contraignant, c'est-à-dire dans le système contractuel et commercial.

Lorsqu'il y a disproportion et hétérogénéité extrême entre ce que l'on doit et ce que l'on possède, il faut se résigner à ne pas rétablir totalement la communauté. Il est par exemple impossible de donner à ses parents des biens égaux à ceux qu'ils nous ont offerts, à savoir la vie et l'éducation. Il est de même impossible de rétablir une égalité d'échange avec ceux qui nous ont communiqué leur sagesse.

En somme, l'amitié qui préside aux échanges est imparfaite. Elle est accidentelle et elle repose structurellement sur la dissemblance de ceux qu'elle unit. Néanmoins, rétablir l'égalité par le respect des proportions et disposer d'un instrument de mesure commun permet de préserver l'existence de ces communautés et de ces amitiés.

Il faut souligner que cette amitié des échanges n'est peut-être rien d'autre que la justice. Elle consiste en effet à rendre à chacun ce qui est conforme à sa valeur. Or, c'est précisément le degré zéro de l'amitié et la définition générale de la justice.

L'amitié est le pivot de la vie sociale humaine sous toutes ses formes, qu'elles soient politiques, familiales ou commerciales. L'amitié est en effet ce qui unifie toute communauté humaine. L'homme est un « animal politique », un « animal familial » et un « animal qui échange » parce qu'il est un être de communauté et d'amitié.

VI. Dans quels cas peut-on se soustraire aux obligations inhérentes à l'amitié ?
(livre IX, chapitres 2 et 3, 1164 b 22 - 1165 b 36)

Les études éthiques portent sur les affects et sur les actions des hommes. Elles ont pour objets des phénomènes moins réguliers que ceux qu'étudient les sciences de la nature. En effet, les actes et les affects humains dépendent de circonstances contingentes. L'énonciation de lois universelles est donc bien plus difficile en éthique qu'en astronomie par exemple. C'est pourquoi les discours éthiques sont moins précis que les discours scientifiques. Comme l'étude de l'amitié est une partie de l'éthique, elle est vouée à une certaine inexactitude. Aristote s'est néanmoins efforcé de réduire constamment la marge d'imprécision de son étude sur l'amitié. Il a dressé des typologies de plus en plus fines et est même parvenu à énoncer des règles destinées à préserver l'amitié dans les échanges. A-t-il atteint un degré de précision satisfaisant ? Apparemment non, puisqu'il apporte, des amendements à ces règles, dans les chapitres 2 et 3 du livre IX.

Les impératifs découlant de l'amitié varient eux aussi selon des circonstances. Aristote énonce donc deux séries de précisions concernant les règles éthiques à respecter en amitié. La première détaille les différents cas dans lesquels on peut se soustraire aux obligations énoncées précédemment. La deuxième décrit les circonstances dans lesquelles on peut légitimement cesser d'être l'ami d'une personne. Dans ces deux chapitres, Aristote procède à des études de cas. Il élabore ce que l'on pourrait appeler une « casuistique de l'amitié ». Comme l'énonciation de règles de conduite en amitié doit tenir compte des circonstances, l'éthique générale doit être complétée par des études de cas.

1) Dans quelles circonstances est-on relevé des devoirs inhérents à l'amitié familiale et à l'amitié des échanges ? (IX, 2, 1164 b 22 - 1165 a 35)

Dans ce chapitre, Aristote rappelle les règles destinées à sauvegarder l'amitié et indique dans quelles circonstances il est possible ou souhaitable de s'y soustraire.

On doit toujours obéir à son père, sauf dans les domaines où d'autres personnes sont plus compétentes que lui, comme en médecine. Plus généralement, on peut légitimement ne pas respecter les devoirs de l'amitié filiale si le respect de ces devoirs entraîne la violation de toutes les autres obligations que l'on a envers d'autres amis. Dans ce cas, nous pouvons nous y soustraire partiellement, afin que notre père ne soit pas le seul objet de notre amitié.

On doit toujours rendre les services que l'on a reçus, sauf si le respect de cette règle entraîne la violation des règles de l'amitié filiale. On peut par exemple ne pas rembourser ses dettes afin de sauver son père. Il y a donc une hiérarchie des obligations inhérentes aux diverses amitiés. On n'est pas non plus tenu de prêter de l'argent à un homme malhonnête qui nous en avait prêté. En effet, s'astreindre à respecter cette règle, c'est courir à sa perte, puisque l'on est sûr de prêter à fonds perdus. Pour savoir quel est notre devoir, nous devons connaître la nature de l'être avec lequel nous sommes amis et les conséquences de nos actes.

Aristote s'oppose par avance à la conception kantienne du devoir comme impératif catégorique. Être vertueux en amitié, ce n'est pas se conformer aux règles de l'amitié en toutes circonstances. Être vertueux en amitié, c'est tout à la fois examiner quelle est la nature des personnes avec lesquelles nous sommes amis, savoir de quelle espèce d'amitié nous sommes liés avec elles et hiérarchiser nos différentes amitiés. Si nous fixons nos devoirs de façon abstraite, nous risquons de donner la même chose à toutes les personnes avec lesquelles nous sommes amis. Or, ceci est à éviter car la vertu consiste précisément à donner des choses différentes à ses parents, à ses frères, à ses camarades et à ses bienfaiteurs. Nous devons en effet donner à chaque personne ce qui est adapté à sa nature et à sa position vis-à-vis de nous. On ne doit par exemple pas honorer de la même façon son père et sa mère. On ne doit pas non plus se comporter de façon identique avec des camarades de notre âge et avec des supérieurs plus âgés.

2) Dans quels cas est-il légitime de rompre une amitié ? (IX, 3, 1165 b 1 - 1165 b 35)

La préservation de l'amitié n'est pas non plus un impératif inconditionnel aux yeux d'Aristote. Maintenir des relations amicales avec les membres de sa famille et avec ses intimes constitue bel et bien une règle capitale. Néanmoins, l'amitié ne peut ni ne doit, pour Aristote, être sauvegardée en toutes circonstances. On peut légitimement cesser d'avoir de l'amitié pour une personne dans quatre cas :

• si cette personne n'est plus ni utile ni plaisante, alors que l'on était lié avec elle par une amitié reposant sur le plaisir ou sur l'utile.

• si cette personne nous a trompé sur le genre d'amitié qu'elle nous porte.

• si cette personne nous a trompé sur ses vertus. On peut par exemple rompre à bon droit avec ceux qui se donnent pour des hommes de valeur alors qu'ils sont mauvais.

• si cette personne devient nettement inférieure (ou supérieure) à nous en vertu.

Dans toutes ces situations, la possibilité même d'une communauté de vie a disparue. On peut donc à bon droit se soustraire à l'obligation de préserver l'amitié. En somme, dans ces quatre cas, l'obligation de rester amis a disparu parce que l'on n'est déjà plus amis.

VII. L'amitié repose-t-elle sur l'altruisme ou sur l'égoïsme ?
(livre IX, chapitres 4 et 8, 1166 a 1 - 1166 b 29 et 1168 a 28 - 1169 b 1)

L'amitié parfaite est une affection réciproque, manifeste, fondée sur la vertu et qui consiste à vouloir le bien d'une personne pour cette personne elle-même. L'amitié est donc avant tout une affection pour autrui qui vise les intérêts d'autrui. En termes modernes, l'amitié par excellence apparaît comme altruiste. Ne peut-on pourtant déceler, à la source de cette affection, un souci égoïste de ses propres intérêts ? En faisant le bien de nos amis, ne visons-nous pas indirectement notre propre bien ? Plus généralement, l'amitié que l'on a pour les autres repose-t-elle sur l'amitié que l'on a pour soi-même (que l'on traduit ici par égoïsme[1]) ? Mais peut-on, dans ce cas, encore parler d'amitié ?

Aristote décompose ce problème en deux questions distinctes. Il étudie d'abord les rapports de l'amitié que l'on a pour soi avec l'amitié que l'on a pour les autres : l'une est-elle exclusive de l'autre ou bien sont-elle conciliables ? Puis il se place dans l'hypothèse de leur compatibilité : si elles sont compatibles, pour quelles raisons l'amitié envers soi-même est-elle généralement condamnée et condamnable ? Ces deux questions sont intimement liées puisque la deuxième suppose la résolution de la première. Elles sont pourtant examinées dans des chapitres non consécutifs, les chapitres 4 et 8 du livre IX. Ils sont séparés par des textes récapitulatifs dont l'objet n'est pas la place de l'égoïsme en amitié. Le caractère apparemment désordonné de la composition s'explique peut-être par le fait que l'*Éthique à Nicomaque* (comme la plupart des textes d'Aristote parvenue aux lecteurs

---

1. Il convient de souligner que les termes d'« égoïsme » et d'« altruisme » sont partiellement inadaptés. Mais les termes plus précis d'« amitié envers soi-même » et d'« amitié pour autrui » sont d'un maniement moins aisé en français moderne.

modernes) est un ensemble de notes de cours, rédigées par Aristote pour dispenser un enseignement oral.

1) L'amitié pour soi-même et l'amitié pour les autres sont-elles compatibles ? (IX, 4, 1166 a 1 - 1166 b 29)

Aristote soutient sur ce point une thèse paradoxale. Non seulement l'amitié envers soi-même est conciliable avec l'amitié pour les autres, mais, en outre, l'amitié envers soi-même est la matrice et la condition de l'amitié envers autrui. Cette thèse est un paradoxe d'abord parce qu'elle heurte le sens commun, mais aussi parce qu'elle entre apparemment en contradiction avec la définition aristotélicienne de l'amitié. Ce paradoxe est défendu en trois étapes. Aristote rappelle d'abord brièvement quelles sont les caractéristiques de l'amitié par excellence (A). Il montre ensuite que les rapports que l'homme de bien avec lui-même comportent les mêmes caractéristiques que l'amitié par excellence (B). Il use enfin d'une preuve *a contrario*, en soulignant que les hommes mauvais n'ont pas d'amitié pour autrui précisément parce qu'ils n'ont aucune amitié pour eux-mêmes (C).

A) Rappel des caractéristiques essentielles de l'amitié parfaite

Pour mettre en évidence les propriétés fondamentales de l'amitié pour autrui (ou amitié altruiste), Aristote rappelle les acquis de son analyse de l'amitié parfaite. En effet, elle seule est apparue comme une véritable amitié pour les autres. L'amitié par excellence possède quatre caractéristiques essentielles :

1. Être l'ami d'une personne, c'est vouloir et faire du bien à cette personne pour cette personne elle-même.

2. Être l'ami d'une personne, c'est vouloir que cette personne vive. Vouloir que son ami vive, c'est lui vouloir un bien, la vie. Mais c'est également vouloir la condition de possibilité de l'amitié : pour être l'ami d'une personne, il faut que cette personne vive.

3. Être l'ami d'une personne, c'est vivre avec cette personne.

4. Être l'ami d'une personne, c'est avoir les mêmes peines, les mêmes joies et les mêmes préférences que cette personne. Cette

caractéristique exprime l'identité de caractères indispensable à l'amitié parfaite.

Il s'agit d'un simple rappel. On remarque pourtant que l'existence d'un autre être n'est pas une condition de possibilité de l'amitié. Dans l'étude consacrée à l'amitié entre frères vertueux et élevés ensemble, Aristote considère même ces derniers comme « *un seul et même être dans deux individus* ». Plus que l'altérité, c'est l'identité qui est au fondement de l'amitié.

B) Les rapports de l'homme de bien avec lui-même ont les mêmes caractéristiques que l'amitié parfaite

Aristote a retenu comme caractéristiques essentielles celles de l'amitié parfaite. De même, les propriétés essentielles du rapport à soi sont les caractéristiques du rapport à soi de l'homme de bien. Or, les propriétés des rapports qu'un honnête homme entretient avec lui-même correspondent terme à terme aux quatre caractéristiques de l'amitié parfaite envers autrui :

1. L'homme de bien se veut et se fait du bien à lui-même pour lui-même. Il entretient son corps ou ses facultés intellectuelles pour lui-même et non pour cultiver les dons que lui aurait octroyé Dieu ou pour se conformer à des impératifs sociaux, par exemple.

2. L'homme de bien veut vivre. Pour Aristote, tout homme ne cherche pas nécessairement à persévérer dans son être. La raison pour laquelle l'homme de bien veut vivre est qu'il se sait homme de valeur en raison de ses vertus.

3. L'homme de bien veut vivre avec lui-même. Il ne s'agit pas d'une tautologie découlant de l'identité entre un individu et lui-même. Il est en effet possible, dans une certaine mesure, de ne pas vivre avec soi-même. Certains ont en effet une vie sociale si développée qu'à force de vivre avec les autres, ils ne vivent plus avec eux-mêmes.

4. L'homme de bien a les mêmes peines, les mêmes joies et les mêmes préférences que lui-même. À nouveau, il ne s'agit pas d'une tautologie. Cela signifie que l'homme bien n'est pas en proie à des conflits intérieurs.

En somme, l'homme de bien a pour lui-même de l'amitié par excellence. Cette amitié envers soi-même s'exprime par le fait qu'il peut supporter de rester seul face à lui-même, et qu'il affectionne les souvenirs de ce qu'il a fait ainsi que les projets qu'il forme.

On peut néanmoins formuler quelques objections contre l'argumentation d'Aristote. Tout d'abord, s'agit-il à proprement parler d'une amitié ? Ce qu'Aristote nomme « l'amitié de soi envers soi-même » n'est-ce pas tout uniment le rapport d'identité de soi à soi ? En outre, si on accepte l'idée que le rapport de soi à soi est de type amical, la démonstration n'a sans doute pas atteint son but. Son objectif était en effet de montrer que l'amitié pour autrui et l'amitié pour soi sont compatibles et que la première a pour fondement la deuxième.

C) Preuve a contrario : les hommes vils n'ont pas d'amitié pour autrui parce qu'ils n'ont pas d'amitié pour eux-mêmes

Pour répondre à ces objections, Aristote produit le contre-exemple de l'homme mauvais. Ce portrait a deux fonctions. D'une part, il doit montrer qu'être soi-même n'a pas pour conséquence nécessaire de s'aimer soi-même. Et, d'autre part, il doit mettre en évidence le rapport entre amitié pour soi et amitié pour autrui. C'est ce qu'il fait *a contrario* : il montre que les personnes qui n'ont pas d'amitié pour elles-mêmes n'en ont pas non plus pour les autres.

L'absence d'amitié envers soi-même entraîne l'absence d'amitié envers autrui. En effet, l'homme mauvais entretient avec lui-même des rapports qui ont des caractéristiques contraires à celles de l'amitié parfaite :

1. L'homme mauvais ne se veut ni ne se fait du bien à lui-même. Il fait et il veut ce qui lui donne du plaisir mais qui lui est en même temps nocif.

2. L'homme mauvais se veut si peu de bien qu'il veut même sa propre mort, lorsqu'il a commis des actes atroces.

3. L'homme mauvais ne veut pas vivre avec lui-même. Il se fuit lui-même car la solitude le plonge dans des souvenirs accablants et dans des projets horribles.

4. L'homme mauvais n'a ni les mêmes peines, ni les mêmes joies, ni les mêmes préférences que lui-même. Il est en effet déchiré entre ce qu'il sait être bon et ce qu'il désire. Il peut donc être en désaccord avec lui-même sur ce qui est préférable. Cette thèse suppose qu'un homme

puisse être déchiré par des tendances intérieures contradictoires. L'âme humaine comporte en effet, pour Aristote, différents principes. En l'occurrence, le désir et la connaissance du bien s'affrontent en lui et le mettent en conflit avec lui-même. Il faut pourtant prendre garde à ne pas faire d'Aristote un néoplatonicien ou un chrétien avant l'heure. Les deux principes à l'œuvre dans l'âme humaine ne sont pas en conflit chez tous les hommes. Il ne s'agit pas non plus de principes extérieurs à l'homme. L'âme humaine est composite, mais elle peut être harmonieuse. La scission de l'âme entre désir et connaissance du bien n'est pas une fatalité, c'est un accident de la volonté.

En un mot, l'homme mauvais n'a pas d'amitié pour lui-même. Or, l'amitié envers les autres dérive de l'amitié envers soi-même. Il n'a donc pas d'amitié pour les autres. Il ne peut en avoir que s'il devient honnête, et s'aime lui-même. On note que l'argument selon lequel l'amitié que l'on a pour soi-même est la source de l'amitié que l'on a pour les autres n'est pas démontré et reste simplement affirmé. La suite de l'analyse des rapports entre amitié pour soi-même (égoïsme) et amitié pour les autres (altruisme) a donc pour charge de le prouver.

Tout ce passage peut paraître surprenant. Tout d'abord, Aristote recourt à des portraits. Cet choix découle du fait que l'éthique aristotélicienne est une morale du caractère et non une morale de la règle. De plus, la thèse qu'il soutient entre en contradiction avec les théories les plus répandues aussi bien en Grèce antique que dans les civilisations judéo-chrétiennes. Ici comme là, le vice et la scélératesse sont attribués à un trop grand amour de soi-même au détriment des autres. L'éthique aristotélicienne prend le contre-pied de cette conception : l'amitié envers soi-même est au contraire la source de l'altruisme et la haine de soi la source de la haine des autres.

2) L'amitié pour soi-même est-elle une condition de l'amitié pour autrui ? (IX, 8, 1168 a 28 – 1169 b 1)

Aristote donne à cette question une réponse positive. Elle lui permet de dégager une règle morale concernant l'égoïsme et de montrer que certaines amitiés envers soi-même conditionnent l'amitié envers les autres. Il s'agit donc ici de préciser la validité d'une thèse paradoxale en circonscrivant sa portée.

A) Les termes du problème

Au chapitre 4, Aristote a énoncé une thèse paradoxale : il n'est pas possible d'avoir de l'amitié pour autrui si l'on n'en a pas pour soi-même. Cette position soulève plusieurs problèmes : si l'amitié que l'on a pour autrui dépend et dérive de l'amitié qu'on a pour soi-même, faut-il s'aimer soi-même plus que les autres ? En d'autres termes, l'amitié est-elle égoïste par essence et par principe ? À soutenir que l'amitié pour soi-même est principielle, Aristote risque de se contredire lui-même. En effet, l'amitié véritable consiste à vouloir et à faire du bien à une personne non dans son propre intérêt mais dans l'intérêt de la personne elle-même. Or, si l'amitié pour soi-même est première, elle risque d'éclipser l'amitié pour les autres. En un mot, Aristote ne va-t-il pas trop loin dans le paradoxe ?

Aristote n'a pas pour but de choquer le sens commun. L'objection qu'il adresse explicitement à sa propre définition de l'amitié envers soi-même lui permet de poser un problème capital concernant la relation à autrui. Ce qui est en jeu, c'est le caractère désintéressé de nos amitiés et de nos actes. En effet, se demander si l'amitié envers soi-même ne rend pas impossible une véritable amitié envers les autres, c'est se demander si le fait de poursuivre son propre bien, d'être intéressé, n'exclut pas purement et simplement l'amitié véritable pour autrui. L'amitié envers soi-même n'exclut-elle pas la possibilité même de l'amitié parfaite ? La réponse d'Aristote n'est ni totalement négative ni totalement positive. Elle n'est pourtant pas confuse ou indécise. Pour savoir si l'amitié envers soi-même est l'obstacle ou la source de l'amitié envers autrui, il faut prendre en considération les circonstances et plus particulièrement les personnes.

B) Le principe de la solution

Aristote se trouve face à une antinomie. Soit l'égoïsme est l'ennemi de l'amitié, comme le soutient le sens commun. Soit l'égoïsme est compatible avec l'amitié et constitue même sa matrice. Le principe de résolution de cette antinomie est de montrer que la thèse du sens commun est vraie dans tous les cas où il s'agit d'amitié imparfaite, mais qu'elle est fausse dès qu'il s'agit d'amitié parfaite.

Selon Aristote, le sens commun a une conception étroite de l'intérêt et donc de l'amitié envers soi-même. Pour le sens commun, l'intérêt personnel consiste seulement en l'acquisition de biens matériels ou de plaisirs. S'aimer soi-même, c'est se réserver des biens matériels et de ne pas les donner aux autres. Inversément, aimer de façon altruiste, c'est renoncer à des biens matériels pour que ses propres amis en bénéficient. La conception habituelle de l'amitié envers soi-même ou de l'égoïsme est partiellement vraie. Elle est vraie pour les hommes vils. En ce qui les concerne, l'amitié envers soi-même exclut l'amitié envers les autres.

Mais la conception courante de l'amitié envers soi-même ou de l'égoïsme est aussi partiellement fausse. Elle est fausse pour les hommes de bien. Dans ce domaine, l'amitié envers soi-même est la condition de l'amitié envers les autres. En somme, les hommes du vulgaire ont une conception étroite du bien, de l'intérêt personnel, et donc de l'égoïsme ainsi que de l'altruisme. C'est pour cette raison qu'ils considèrent la thèse d'Aristote comme un paradoxe et parfois comme un scandale.

C) Pour les hommes vils, l'amitié envers soi-même exclut l'amitié envers autrui

La thèse défendue au chapitre 4 (l'amitié envers soi-même est la condition de l'amitié envers autrui) est partiellement remise en cause dans le présent chapitre. Aristote admet en effet que l'amitié envers les autres est annihilée par une amitié excessive pour soi-même. Mais il ne peut soutenir cette thèse qu'en donnant à l'amitié un sens inférieur. L'amitié que les hommes mauvais ont pour une personne (qu'il s'agisse d'eux-mêmes ou de leurs « amis ») consiste à vouloir à cette personne le plus de biens matériels et le plus de plaisirs possible. Chez les hommes vils, altruisme et égoïsme sont concurrents et même ennemis parce qu'ils portent sur des biens identiques dont la quantité est limitée. En effet, tous les biens que les autres (et parmi eux les amis) obtiennent sont perdus pour soi-même. Et inversement, tout ce que l'on a soi-même est autant de retiré aux autres et plus particulièrement à ses amis.

En un mot, chez des hommes vils, l'amitié pour soi et l'amitié pour les autres sont rivales parce qu'elles veulent les mêmes biens mais pour des personnes différentes.

D) Pour les hommes de bien, l'amitié envers autrui dérive de l'amitié envers soi-même

Aristote n'a pas pour but de réhabiliter l'égoïsme ou de racheter l'amitié envers soi-même. Son projet est de montrer que l'amitié parfaite est intrinsèquement liée à l'amitié parfaite envers soi-même.

Aux yeux du vulgaire, l'homme de bien est un être paradoxal. Si l'on observe ses actes et ses paroles, il est prêt à tous les sacrifices pour le bien de ses amis. En un mot, il est altruiste. Mais si l'on scrute les motifs de sa conduite, on se rend compte qu'il se réserve tout ce qui peut être noble et louable. Il est donc suprêmement égoïste. Le propos d'Aristote n'est pas de débusquer la vanité derrière les apparences de la vertu. Pour lui, l'amitié que l'homme de bien se porte à lui-même est en elle-même bonne et ce, pour plusieurs raisons.

L'amitié que l'homme de bien a pour lui-même est bonne d'abord parce qu'elle n'a pas le même objet que l'amitié de l'homme vil pour lui-même. Ce que l'homme de bien aime en lui-même, c'est sa faculté la plus haute, la pensée. Tout ce qu'il fait et que l'on peut qualifier à la fois d'altruiste et d'égoïste est destiné à développer sa pensée, qui voit et veut le bien. Sa différence avec l'homme mauvais ne consiste pas à ne pas s'aimer lui-même ou à ne pas aimer ce qui est dominant en lui. L'homme mauvais se soumet lui aussi à ce qu'il aime le plus en lui. La singularité de l'homme vil réside dans la nature et dans la valeur de la faculté qu'il aime et à laquelle il obéit. Mais, dans son cas, il s'agit de la partie désirante de son âme. La hiérarchie entre les hommes et entre les amitiés envers soi-même (entre les égoïsmes) tient à la valeur intrinsèque de ce qu'ils aiment.

L'amitié que l'homme de bien se porte à lui-même est bonne également en raison de ce qu'il considère comme un bien. L'homme de bien considère comme un bien non pas les biens matériels mais les actions nobles. Son affection pour lui-même et son affection pour les autres ne peuvent donc pas entrer en concurrence. En effet, toutes les actions nobles qu'il réalise lui-même incitent ses amis à accomplir à leur tour des actions nobles. En atteignant ces biens, il n'en prive pas les autres mais les multiplie au contraire. Et, au cas où il se trouve en concurrence avec un ami pour réaliser une belle action, même s'il cède cette belle action à son ami, il réalise par là même une plus belle action encore. Chez les hommes de bien, l'amitié envers soi-même et l'amitié envers les autres ne sont pas rivales parce que les biens qu'elles visent ne sont pas détruits par le fait même de les atteindre.

Enfin, l'amitié qu'a l'homme de bien pour lui-même diffère de celle que se porte l'homme mauvais par le fait que l'une a de bonnes conséquences pour autrui alors que l'autre n'a que des conséquences mauvaises. En effet, l'homme de bien atteint son propre bien en fournissant du bien aux autres. C'est en cela qu'il agit noblement. Son amitié envers lui-même est justifiée par le fait qu'il donne aux autres de l'amitié parfaite et l'amitié qu'il a pour les autres a pour origine le fait qu'il veut pour lui-même des actions nobles. Autrement dit, l'amitié qu'il a pour les autres a pour origine l'amitié qu'il a pour lui-même. En fait, dans le cas des hommes de biens, l'amitié envers soi est indiscernable de l'amitié envers les autres. Dans le cas de l'homme de bien, la distinction entre égoïsme et altruisme n'a pas grand sens.

VIII. La bienveillance, la concorde et la bienfaisance se confondent-elles avec l'amitié ?
(livre IX, chapitres 5 à 7, 1166 b 30 - 1168 a 27)

Aristote donne au concept d'amitié une extension fort vaste. Si bien que toutes les relations humaines, pour peu qu'elles ne soient pas ouvertement conflictuelles, paraissent régies par une certaine amitié. À force de désigner des rapports humains très hétérogènes, la notion d'amitié ne risque-t-elle pas de devenir extrêmement vague ? Pour répondre à cette objection et pour souligner que ce concept rend compte d'une classe déterminée de phénomènes, Aristote montre que certaines relations humaines non-conflictuelles, la bienveillance, la concorde et la bienfaisance, se distinguent de l'amitié tout en en étant très proches. L'objet des chapitres 5, 6 et 7 du livre IX est précisément de procéder à cette analyse différentielle et comparative.

1) La bienveillance n'est pas l'amitié (IX, 5, 1166 b 30 - 1167 a 21)

La bienveillance se distingue de l'amitié par trois caractéristiques. La première est déjà connue[1] : la bienveillance est une affection qui peut rester latente et inconnue de la personne envers laquelle elle s'exerce, alors que l'amitié est une affection en acte et manifeste. La deuxième tient à ce que l'on peut être soudainement bienveillant envers une personne alors que devenir son ami exige du temps. Enfin, lorsque l'on a de la bienveillance pour une personne, on n'a pas pour but d'agir avec elle, alors qu'un véritable ami veut agir et vivre avec son ami. En un mot, la bienveillance se distingue de l'amitié est en ce qu'elle n'est pas une affection en acte.

---

1. *Cf.* chapitre 2 du livre VIII.

La bienveillance partage pourtant avec l'amitié le fait d'être une affection consistant à vouloir le bien d'une personne pour cette personne elle-même. Enfin, la bienveillance a la même source que l'amitié par excellence : elle naît lorsque l'on remarque la vertu d'une personne. Elle n'a pas pour origine le souci de l'utilité ou le plaisir. Si bien que l'amitié apparaît comme nettement distincte de la bienveillance tout en lui étant intimement liée. La bienveillance est une condition nécessaire mais pas suffisante de l'amitié : pour être amis, il faut être bienveillants l'un envers l'autre, mais être mutuellement bienveillants ne suffit pas à être amis.

2) La concorde n'est pas l'amitié en général, elle est une forme particulière de l'amitié politique (IX, 6, 1167 a 22 – 1167 b 16)

La concorde, comme l'amitié, n'est pas le simple fait d'avoir le même avis. L'accord entre les amis est une conséquence de l'amitié mais n'est pas l'amitié. De surcroît, la concorde, comme l'amitié parfaite, unissent seulement des hommes de bien, car elles reposent toutes deux sur la vertu. Les hommes vils sont donc capables de concorde exactement dans la mesure où ils sont capables d'amitié, c'est-à-dire fort peu.

La concorde est une forme de l'amitié mais la distinction essentielle entre ces notions tient à ce que la concorde est une espèce de l'amitié qui ne se réalise que dans le domaine politique. À proprement parler, la concorde règne seulement dans les cités. La concorde est une amitié politique.

Est-ce à dire que toute amitié politique est une concorde ? La concorde ne semble pas désigner toutes les formes d'amitié entre membres d'une même cité. D'après les chapitres 11 à 13 du livre VIII, l'amitié politique rassemble aussi bien un roi et ses sujets que les citoyens d'un régime démocratique. Or, la concorde consiste exclusivement dans l'accord sur les intérêts de la cité entre tous citoyens et non pas seulement entre les dirigeants. La concorde est donc un accord sur les principes même du gouvernement de la cité. Au contraire, l'amitié politique en général est une affection plus large. L'amitié politique unit le roi et ses sujets, mais cette amitié ne consiste pas en un accord sur le mode de gouvernement. Le roi a une affection dictée par sa vertu et sa supériorité. Les sujets ont une amitié dictée par leur propre intérêt. La concorde semble être, pour Aristote, la forme d'amitié politique propre au régime constitutionnel ou censitaire, puisque son existence est subordonnée à la prise en compte de l'avis de tous les citoyens.

3) La bienfaisance n'est pas l'amitié, elle est une affection unilatérale (IX, 7, 1167 b 17 - 1168 a 27)

L'analyse de la bienveillance a rappelé qu'il ne suffit pas de vouloir du bien à quelqu'un pour être son ami. Celle de la bienfaisance souligne que faire du bien à une personne ne suffit pas non plus pour être son ami.

À la différence des liens qui unissent débiteurs et créanciers, la bienfaisance consiste, comme l'amitié, en une affection désintéressée.

Toutefois, la bienfaisance suppose une inégalité entre le bienfaiteur et son obligé. On rétorquera que l'amitié peut aussi s'accommoder d'une inégalité entre les personnes qu'elle lie. Néanmoins, la spécificité de la bienfaisance est qu'aucune compensation ne vient corriger l'inégalité entre les personnes en question. Le bienfaiteur fait plus de bien à son obligé que l'obligé n'en fait à son bienfaiteur sans que l'obligé donne plus d'amitié à son bienfaiteur que le bienfaiteur ne donne d'amitié à son obligé. Dans la relation de bienfaisance, l'obligé n'a même aucune amitié pour son bienfaiteur. Dans une relation de bienfaisance, il n'y a ni égalité, ni communauté entre les personnes prises.

La cause de cette différence radicale avec l'amitié réside dans la nature même de la bienfaisance : la bienfaisance est l'affection que l'on porte à ce qui actualise l'une de nos potentialités. Or, seul le bienfaiteur est actualisé par l'existence de cette affection bienfaisante. Celui qui reçoit le bienfait ne s'actualise pas parce qu'il ne réalise aucun ouvrage, aucune action. L'obligé est passif. C'est pour cette raison qu'il aime moins son bienfaiteur que son bienfaiteur ne l'aime. Il y a donc, dans la bienfaisance, une dissymétrie et une inégalité supplémentaires entre les personnes qu'elle unit. Dans l'amitié au contraire, les amis agissent ensemble et s'actualisent ensemble.

IX. Le bonheur est-il possible sans amitié ?
(livre IX, chapitres 9 à 12, 1169 b 2 - 1172 a 15)

Pour Aristote, l'étude de l'amitié revêt en elle-même une importance considérable, mais elle n'est pas à elle-même sa propre fin. Dans les quatre derniers chapitres du livre IX, Aristote dévoile son objectif fondamental : il étudie l'amitié pour chercher si elle peut contribuer au bonheur humain. De la sorte, il amorce un véritable « retour à l'éthique générale ». L'éthique a en effet pour but de déterminer la nature et les conditions du bonheur humain. Toute la question est désormais de savoir si l'amitié est indispensable au bonheur.

L'examen de ce problème se décompose en quatre questions :

1) Aristote reprend les principales conclusions de son étude sur bonheur et les confronte avec celles de son analyse de l'amitié. Au sens commun, l'amitié peut apparaître comme un élément nécessaire du bonheur. Toutefois, si l'on soutient, comme Aristote, que l'homme heureux est l'homme qui se suffit à lui-même, comment le faire dépendre d'autres personnes sans ruiner son bonheur ?

2) La deuxième question est une conséquence de la réponse donnée à la première. Si l'on admet que l'amitié est compatible avec le bonheur et lui est même nécessaire, la question du nombre d'amis qu'il faut avoir reste en suspens. Ce point n'est pas sans importance, car le bonheur en constitue toujours l'enjeu. Il ne s'agit pas seulement de savoir combien d'amis il est plus agréable d'avoir, mais de déterminer à partir de quel nombre d'amis le bonheur est en danger. Il ne sert en effet à rien de trancher sur le principe de la compatibilité du bonheur avec l'amitié si l'on ne prend pas en compte le fait qu'un nombre excessif d'amis peut ruiner le bonheur.

3) Une objection peut s'élever contre la connexion établie par Aristote entre amitié et bonheur. N'est-ce pas plutôt dans le malheur que des amis sont indispensables ? Cette question pose plus généralement le problème de la nature du « besoin d'amis ». Est-il

identique chez l'homme heureux et chez l'homme malheureux ? Autrement dit, l'homme heureux a-t-il besoin d'amis de la même façon et autant que l'homme malheureux ?

4) Enfin, après avoir montré la nécessaire solidarité entre amitié et bonheur, il s'agit de savoir quel type de vie et quels comportements font en sorte que l'amitié contribue au bonheur : pour être heureux, faut-il vivre avec ses amis ?

1) L'homme heureux a-t-il besoin d'amis ?
(IX, 9, 1169 b 2 – 1170 b 19)

La question peut sembler aisée à trancher. Le sens commun a plutôt tendance à penser qu'être dépourvu d'amis est un malheur. Aristote lui-même attribue une haute valeur éthique à l'amitié entre hommes de bien. On pourrait donc penser que ce problème est résolu avant même d'être posé. La question place pourtant Aristote face à une antinomie fondamentale.

Aristote a démontré, au début de l'*Éthique à Nicomaque*, que l'homme heureux est l'homme qui se suffit à lui-même. L'auto-suffisance est l'un des concepts majeurs avancés par Aristote pour définir le bonheur. Si le bonheur consiste dans la réalisation d'actions nobles et dans l'actualisation des plus hautes facultés, dépendre des circonstances et des autres hommes est une entrave au bonheur. Pour être heureux, il faut donc posséder par soi-même tous les biens, autrement dit, il faut être autosuffisant. Or, un ami est un bien. Il nous donne donc quelque chose que nous n'avons pas et que, sans lui, nous ne pourrions avoir. Il faut donc choisir. Soit on est heureux et, dans ce cas, on n'a besoin d'aucun ami puisqu'on possède déjà tous les biens. Soit on a besoin d'amis, mais, dans ce cas, on n'est ni autosuffisant ni heureux. De sorte que si l'homme heureux a un besoin, quel qu'il soit, c'est qu'il manque d'un bien et n'est donc pas véritablement heureux. Mais d'un autre côté, il paraît incongru de considérer qu'un homme solitaire est heureux. Il est en effet dans un état contraire à sa nature d'animal politique, au sens le plus large du terme. De plus, si l'homme heureux se définit par le fait d'actualiser toutes ses dispositions naturelles et de posséder tous les biens, il est impossible de le priver d'amis. Avoir des amis est un bien, il est donc impossible de posséder tous les biens (et donc d'être heureux) sans avoir d'amis.

En s'appuyant sur des principes communs (le bonheur est un état de plénitude, le manque et le besoin sont contraires au bonheur), on parvient à deux conclusions opposées : « l'homme heureux n'a pas besoin d'amis sous peine de n'être pas autosuffisant » et « l'homme heureux a besoin d'amis sous peine de manquer d'un bien et de n'être pas un homme ».

L'argumentation d'Aristote destinée à résoudre cette antinomie est complexe. Elle fait appel à des éléments fondamentaux de son ontologie et de son anthropologie. Le principe de sa résolution est pourtant assez clair. Comme dans l'antinomie sur l'égoïsme en amitié, Aristote ne récuse pas purement et simplement l'une des deux positions. Il ne propose pas non plus de « synthèse » conciliatrice. Il attribue à chacune des thèses en présence un domaine de validité distinct. Autrement dit, l'homme heureux et l'homme qui ne l'est pas ont tous deux besoin d'amis, mais dans deux sens très différents.

Lorsque l'on affirme que l'homme heureux n'a pas besoin d'amis, on donne un sens particulier aux termes de « besoin », d'« ami » et de « bien ». Dire qu'un homme a besoin d'amis signifie alors qu'il manque d'un bien et qu'il manque d'un bien utile. En aucun cas un être dépourvu de biens utiles et de biens nécessaires à la vie ne peut être heureux. Au contraire, l'homme heureux a besoin d'amis dans un sens très différent. Son « besoin » signifie qu'il veut quelque chose en plus. Et le bien qu'il désire par surcroît n'est pas une chose indispensable à la conservation de son être biologique. Ce bien est ce qui lui permet d'actualiser ses facultés les plus hautes. Il a besoin d'autrui dans un sens particulier. Il n'a pas besoin de ces personnes pour combler un manque. Il a besoin de ces personnes pour accomplir des actions nobles. La distinction entre l'homme heureux et l'homme qui ne l'est pas est claire : ils ont des besoins hétérogènes et recherchent des personnes et des biens différents. L'homme heureux ne désire ni des biens matériels ni du plaisir car il en est déjà pourvu. Il ne désire que ce qui lui donne des motifs d'actions nobles et d'actualisation. Or, cette activité ne peut être possédée comme une chose, il doit donc s'actualiser et se développer par de nouveaux actes.

L'argumentation d'Aristote repose manifestement sur la thèse selon laquelle le bonheur consiste en une actualisation. Sans entrer dans le détail des arguments ontologiques sur lesquels cette affirmation repose, on peut simplement rappeler que, chez Aristote, l'essence d'une personne est ce qu'elle est, une fois qu'elle est parvenue à son développement complet. Or, le bonheur humain consiste précisément dans la réalisation et l'actualisation de toutes les potentialités de l'essence de l'homme.

Reste à comprendre comment la fréquentation d'amis contribue à l'actualisation de ses propres capacités. Ce phénomène a une double cause. D'une part, il est plus aisé de contempler les actions des autres que les siennes propres. En conséquence, ce qui est noble nous apparaît plus clairement lorsque d'autres, nos familiers, agissent noblement. De plus, l'action de nos intimes est le reflet de nos actions. Les voir agir noblement peut être le signe que nous agissons nous-mêmes noblement. D'autre part, avoir des amis est une condition de possibilité pour agir noblement. Un ami peut en effet être le bénéficiaire de l'action en question ou bien son coauteur. En conséquence, l'homme heureux a besoin d'amis vertueux susceptibles d'agir avec lui.

Dans la perspective aristotélicienne le bonheur auquel les amis sont indispensables n'est pas de type ascétique. Des amis vertueux donnent du plaisir à leur amis. En effet, l'homme heureux a besoin d'amis car la vie heureuse est une vie qui comporte du plaisir. Or seule l'activité donne du plaisir. Mais il est impossible d'être en activité de façon continue lorsque l'on est seul. On a donc besoin des autres pour être en activité et pour avoir du plaisir de façon plus continue.

2) Faut-il avoir beaucoup d'amis pour être heureux ?
(IX, 10, 1170 b 20 – 1171 a 20)

L'amitié est nécessaire au bonheur. Mais combien d'amis faut-il avoir pour être heureux ? Faut-il en avoir le plus possible ? Si des amis sont des biens précieux qui rendent heureux, plus on en a, plus le bonheur est grand. Aristote récuse pourtant cette idée. Si être dépourvu d'amis empêche d'être heureux, avoir trop d'amis est aussi une entrave au bonheur. Toute la question est donc de trouver un critère pour déterminer quel nombre d'amis est excessif. Le but d'Aristote n'est pas de fixer un chiffre exact, mais seulement de montrer qu'avoir un grand nombre d'amis n'est pas nécessairement synonyme d'être heureux.

Dans les amitiés qui reposent sur l'utile et dans celles qui sont fondées sur le plaisir, on comprend aisément comment il est possible d'avoir trop d'amis. Dans ces deux cas, avoir une pléthore d'amis signifie que l'on a beaucoup de services à rendre en échange de ce que l'on a reçu. Si tout notre temps et tous nos efforts sont consacrés à remplir les obligations que l'amitié nous crée, c'est que nous avons trop d'amis. Voilà un critère clair pour juger du nombre d'amis qu'il convient d'avoir.

Une telle limite existe-t-elle dans les amitiés reposant sur le bien ? Aristote recourt ici à un autre critère d'évaluation. Ce qui décide du caractère excessif du nombre des amis, c'est la possibilité de vivre ensemble. Par vivre ensemble, il faut comprendre constituer une communauté d'actions et de caractères. Or, lorsque l'on est nombreux, il est impossible d'agir tous ensemble et d'avoir tous le même caractère. Pour que la communauté de vie avec ses amis soit préservée, et pour que l'amitié concoure au bonheur, un nombre restreint d'amis est nécessaire. En un mot, trop d'amis tue l'amitié.

3) Doit-on plutôt avoir des amis dans l'adversité ou dans le bonheur ? (IX, 11, 1171 a 21 - 1171 b 28)

Si l'homme heureux a besoin d'amis, on peut objecter qu'il ne se distingue pas de l'homme malheureux : ce dernier a lui aussi grand besoin d'amis. Cette objection est importante, car elle remet apparemment en cause la thèse selon laquelle l'amitié est indissociable du bonheur. En effet, si l'homme malheureux ne se distingue pas de l'homme heureux en ce qui concerne l'amitié, l'amitié ne peut constituer un trait distinctif du bonheur. En somme, l'amitié serait un élément neutre, puisqu'elle est nécessaire au malheureux aussi bien qu'au bienheureux.

La solution qu'apporte Aristote à ce problème a derechef pour principe une distinction entre deux types de besoins et deux types de biens. Les hommes heureux et les hommes malheureux se distinguent par les biens qu'ils recherchent, par la nature de leurs besoins ainsi que par la conception qu'ils se font de l'amitié. Les malheureux éprouvent un besoin qui n'est qu'un manque. Ils recherchent dans l'amitié, comme partout ailleurs, uniquement les biens qui pourront alléger leur malheur. Ils désirent donc ce qui est simplement nécessaire à la vie. Les amis qu'ils recherchent sont soit utiles soit plaisants. Leur besoin d'ami est donc soumis à la nécessité.

Au contraire, les hommes heureux ne recherchent que des amis vertueux. En conséquence, ils ne cherchent qu'à donner des biens à leurs amis, alors que les malheureux désirent seulement obtenir des biens de leurs amis. Les hommes heureux ont moins besoin d'amis que les malheureux au sens où ils ne manquent pas de ce qui est nécessaire et utile. Mais ils ont plus besoin d'amis que les précédent au sens où leurs actions sont rendues possibles par le fait d'avoir des amis vertueux.

4) Faut-il vivre avec ses amis pour être heureux ?
(IX, 12, 1-171 b 29 - 1172 a 15)

Reste donc à savoir de quelle façon il faut fréquenter ses amis pour être heureux. Pour que l'amitié contribue au bonheur, il faut vivre avec ses amis. Mais comment faut-il entendre l'expression « vivre avec ses amis » et en quoi la vie avec ses amis est indispensable au bonheur ?

Vivre avec ses amis, c'est d'abord former une communauté avec eux. En effet, les personnes qui ont en commun quelque chose entrent en communauté. Or, toute communauté est unie par une amitié. Si le bonheur est impossible sans amitié, il n'est pas possible d'être heureux sans former avec ses amis une communauté et donc sans vivre avec eux.

Vivre avec ses amis, c'est en outre agir avec eux car le bonheur consiste précisément en une activité. Or, plus l'on vit avec ses amis, plus on agit avec eux. En conséquence, plus on vit avec eux, plus on est heureux.

Vivre avec ses amis, c'est enfin se consacrer l'activité que nous partageons avec eux et qui est à la source de la communauté que nous formons avec nos amis. Ainsi, vivre avec ses amis, c'est faire avec eux ce que l'on considère comme étant « vivre » au plus haut point. Or, le bonheur consiste à faire ce que l'on considère comme étant « vivre » au plus haut point.

Vivre avec ses amis est en conséquence la condition du perfectionnement des hommes de bien. Les hommes de bien peuvent agir mieux et agir davantage lorsqu'ils forment une communauté d'actions, de caractères et de vie avec leurs amis.

Bibliographie indicative

- ARISTOTE, *Éthique à Eudème*, Vrin, Paris, 1997, livre VII, 1234 b 18 – 1246 a 25, p. 150-203.
- ANNAS, Julia, « Platon and Aristotle on Friendship and Altruism », in *Mind, a quarterly review of philosophy*, edited by D.W. Hamlyn, n° 86, 1977, p. 532-554.
- AUBENQUE, Pierre, « Sur l'amitié chez Aristote », in *La prudence chez Aristote*, « Quadrige », P.U.F., Paris, 1993, p. 179-184.
- COOPER, John M., « Political Animals and Civic Friendship », in *Aristoteles' Politik, Akten des XI. Symposium Aristotelicum, Friedrichshafen/Bodensee 25.8. – 3.9. 1987*, édités par G. Patzig, Vandenhoeck & Ruprecht, Göttingen, 1990, p. 220-241.
- FRAISSE, Jean-Claude, *Philia. La notion d'amitié dans la philosophie antique. Essai sur un problème perdu et retrouvé*, Paris, P.U.F., 1974.
- FORTENBAUGH, W.W., « Aristotle's Analysis of Friendship : Function and Analogy, Ressemblance and Focal Meaning », in *Phronesis, a journal for ancient philosophy*, Van Gorcum-Assen-The Netherlands, n° 20, 1975, p. 51-62.
- PLATON, *Lysis*, traduction Alfred Craset, Les Belles Lettres, collection « Classiques en poche », Paris, 1999.
- PRICE, A.W., *Love and Friendship in Plato and Aristotle*, Oxford, 1989.
- ROGERS, K., « Aristotle's on loving another for his own sake », in *Phronesis, a journal for ancient philosophy*, Van Gorcum-Assen-The Netherlands, n° 39, 1994, p. 291-302.
- VOELKE, *Les rapports à autrui dans la philosophie grecque d'Aristote à Panétius*, Paris, Vrin, 1961, p. 37-63 et 180-181.
- WALKER, A.D.M., « Aristotle's Account of Friendship in the *Nichomachean Ethics* », in *Phronesis, a journal for ancient philosophy*, Van Gorcum-Assen-The Netherlands, n° 34, 1979, p. 180-196.
- WOLFF, Francis, « L'homme heureux a-t-il des amis ? Figures entrecroisées de l'amitié chez Aristote et Épicure », Chapitre V, in *L'être, l'homme le disciple*, P.U.F., Paris, 2000, p. 157-183.
  – « L'ami paradoxal », in *L'amitié*, Autrement, Paris, 1995.

numérique

Impression & brochage - France
Numéro d'impression : N19367180328 - Achevé d'imprimer : Avril 2018
Dépôt légal : Décembre 2015